ちくま新書

# だからフェイクにだまさ

進化心理学から読み解く

1652

石川幹人
Ishikawa Masato

だからフェイクにだまされる——進化心理学から読み解く【目次】

# はじめに

現代はフェイク時代に突入したとされる。昨今のメディアは、ニセ情報にいろどられた商品広告、政治家が自ら発信するフェイクニュース、世界の終わりを扇動する陰謀論など、さまざまなフェイクにあふれている。民主主義を増進するはずの自由な情報メディアの浸透が、かえって世の中の秩序を損なっているようにも見える。フェイク情報が世界の終焉を招くという指摘（インフォカリプス）も、しごく現実味を帯びてきた。このままではいけないと、誰もがうすうす気づいている分岐点に、私たちは立っている。

フェイク情報が、フェイクとしての問題性を高めているのは、私たちがそのフェイク情報を信じるからである。フェイク情報を信じて同調し、それによって扇動されてしまうからである。「フェイクに惑わされてはいけない」「フェイクを見抜こう」というスローガンはよく耳にするが、フェイク情報への直接的な対抗は容易ではない。なぜなら、巧妙なフェイクほどホントに酷似しており、加えて、私たちの信じたいという欲求を刺激するからだ。

それに私たちは、「フェイクかもしれないから何事も疑ってみよう」と言われると、何を信じていいのかわからないという当惑した気持ちを高めてしまう。フェイクの時代に生きる私たちは、この先の歩むべき方向を見失っているようでもある。

筆者は、フェイク時代にふさわしい〝道しるべ〟は、幸いなことにすでに見えていると考えている。それを提供しているのは、読者は意外に思われるかもしれないが、人間の行動や心理を生物進化の原理から説明する学問分野である。この分野は、一九九〇年代に「進化心理学」という呼称で登場し、すでに分野を超えて、心理学や脳科学の基盤として取り入れられている。今や、行動経済学を起点にして、社会科学への応用も次々に始まっている。フェイクへの対応策もその射程に入っているのだ。

進化心理学から見ると、私たち人類は〝協力上手なサル〟である。私たちの祖先は二〇〇万年以上もの間、食料の少ないアフリカの草原で暮らしていたので、食料確保のための協力を余儀なくされてきた。そのため、仲間を信じて同調する心理傾向が進化し、現代の私たちの多くにも生まれながらに備わっている。

草原で生活した時代の協力集団には「フェイクがなかった」と言ってよい。なぜなら、害のあるウソをつけば集団が混乱して皆が困るし、仲間の信頼を裏切れば集団から追い出されて路頭に迷うからである。進化心理学の原理からすると、フェイクに対応する仕組みは必要なかったがゆえに私たちに進化していないのである。

それにもかかわらず、文明の時代になって状況が一転した。信頼を裏切っても路頭に迷う恐れが減ってきたのである。すると当然ながら、協力関係のもとで育んできた信頼を悪用するフェイクが登場してくる。協力上手で信じる気持ちが先行する私たちの多くは、フェイクを疑うこともなく、まんまとだまされてしまうのだ。

近年のメディアの進展が、この状況に拍車をかけた。新聞にフェイク記事が載れば、その新聞の信頼を損ない売れなくなる。そこで新聞社は、可能な限りフェイクが生じない対策を伝統的に講じてきた。ところが、そもそも信頼とは無縁の情報メディアにフェイクニュースが出ても「面白ければ蔓延する、注目を集めれば広告収入が入る」という構造では、フェイクの蔓延を防ぎきれない。つまり今日、フェイクの起きやすい社会構造が作られてしまっている事実が見てとれる。

フェイク問題は、フェイク自体に焦点を当てても、その解決法は見えてこない。人類が協力と信頼を大切にする生き物として発展してきたこと、想像力や言語能力を身につけ、他の動物ではけっしてなしえなかった文明の確立に成功してきたことを理解しよう。すると、現代文明が人間の生物学的な本性を十分考慮することなく、野放図に情報メディアを拡大してきたことがフェイク問題の元凶だと認識できてくる。情報社会がその便利さとは裏腹に何だか居心地が悪いのも、同様に、人間の本性と社会構造のミスマッチなのである。

本書では、フェイク問題を手がかりにして、そのミスマッチの現状と可能な対応策を、数々の角度から具体的に述べていく。読者は、フェイクが人間の本性に由来する身近な問題であることに気づき、フェイクへの対応手段をみずから見出せるようになるだろう。

情報メディアにおけるフェイク問題が解消されるには、まだまだ時間がかかると思われるが、人々がフェイクに対応できる技能を磨けば、少なくともインフォカリプスに至る深刻な事態は避けられるにちがいない。うまくいけば、情報メディアが世界を救う道筋も見出せるのかもしれない。これが本書の目指すところである。

第1章

# 見かけがつくるフェイク——演出までには至らぬ装い

## †情報の信頼性は伝える人の印象に左右される

商品広告には、芸能人やスポーツ選手などの有名人がこぞって起用される。広告の中では、どんな商品であるかを表現する以前に、どんな人がオススメしているかが演出の決め手になる。広告に登場する有名人がもっている誠実さ、力強さ、美しさ、知的さなどの印象によって、消費者は広告情報の信頼性を推し測って、商品の魅力を判断する傾向がある。たとえば、陸上で世界記録を打ち立てた女性アスリートがアウトドア向けの自家用車SUVを宣伝していれば、そのアスリートがもつ力強さが商品に波及し、SUV自体が力強く感じられる。消費者は、自然の中でワイルドに生活するアウトドアに、SUVが最適と思うのである。

もし、そのアスリートがSUVを運転したことがまったくないとなれば、こうした商品の宣伝テクニックは、フェイクと言えなくもない。ただよく考えると、商品広告の場合、有名人が「自分が使っていない商品」をオススメするのは、当然あり得ることである。

消費者の多くが、広告における情報のフェイク性を認識できているのであれば、フェイクでなく〝演出〟とみなされる。今日では、有名人がオススメする商品を有名人につられ

て買ってしまうのも〝イメージ消費〟という消費の一形態として、企業の宣伝戦略に組み込まれている。

つまり私たちは、有名人の商品広告のように、伝えられた情報の信頼性が、それを伝える人の印象によって左右される現実を、すでによく知っているのである。だから、フェイクについて考える場合には、まずはその印象の影響を再確認しておく必要がある。

この印象による信頼性の変化は、商品広告ではそれほど問題ではないにしても、選挙運動においては大きな社会問題が生じている。

投票所に行くと、決まって候補者一覧のポスターが貼られている。有権者は、投票に先立って候補者の情報を集めていればよいが、

そうでなければポスターを見て候補者を選ぶことになる。かりにポスターに、候補者の目標とする政策やその実現手段、これまでの実績が細かく書かれていれば、それを読んで判断することもできるが、通常それは書かれていない。顔写真が大きく示されているだけなのである。その結果、芸能人の人気投票のような「印象による判断」で投票がなされてしまう。

では、なぜポスターに政策や実現手段が細かく書かれていないのだろうか。それはそうした文章よりも、顔写真のほうがより訴求力が高いという事実を、候補者自身がよく知っているからである。ぎっしり文字が書かれているポスターと、笑って力強くガッツポーズをとる写真のポスターを見比べれば、顔写真のポスターの候補者に一票を投じたくなるのもうなずける。だから立候補を決めた候補者は、腕のいい写真家に依頼して、髪型、表情、服装、ポーズを演出してもらい、撮られた写真の中から〝最高の一枚〟をポスターにするのである。

政治家は本来、政策や実績によって選ばれるべきものだろう。それが印象の演出によって選ばれているとすれば大問題である。印象に左右される市民が多いと、民主主義社会は扇動政治家によってコントロールされかねない。

その問題を防ぐには、人間がどの程度印象によって左右されるのか、そして、それはなぜなのかを理解しておく必要がある。それが理解できれば、市民はどんなときに印象に従って行動してよく、どんなときには印象による判断を控えるべきかがわかり、問題を最小限に抑えることができるだろう。

### †印象判断の源は動物の時代にさかのぼる

意外なことかもしれないが、力強さや美しさなどの印象判断の多くは、動物の時代に形成された「感情を司る機構」に由来している。本節では、動物の具体的な行動を示しながら、代表的な印象判断の生物学的な起源を解説する。

雄(お)ジカは立派な角を見せつけて、生殖の相手となる雌(めす)を他のライバル雄(おす)と争う習性がある。この「見せつけ」を動物行動学では、ディスプレー行動と呼ぶ。強い雄が、より多くの雌を獲得できるという構図は、哺乳類に広くみられるが、シカでは「立派な角」が強さのディスプレーになっているのだ。

たとえば、北半球に広く分布しているアカシカの行動観察によれば、雄ジカ同士が鉢合わせしたとき、実際に角をつき合わせて戦うことは少なく、通常は角を見せ合うことで勝負がつく。実際に戦ってしまえば双方が傷を負うリスクが高いので、角を見せ合うことで勝負をつけるのは、多くのアカシカが生き残るうえでの有効な方法なのである。

「立派な角」が進化してきた過程は次の通りである。まず、角をつき合わせて戦うことで雌を取り合う習性が生じる。しかし、角が貧弱な個体は、戦っても傷を負うばかりであるので、角の立派さを判断して戦わずに退散する習性が生まれる。すると、戦いの強さよりも立派な角のほうが雌をめぐる争いに有効になる。ときには、戦いには不利になるくらいの、大きくて重い角が発達する、という具合である。

実際、大きくて重い角をもっている雄のほうが健康であると言えるので、雌(め)ジカから見ても、立派な角は健康の指標になる。そのため、「立派な角を好む」判断機構がいったん生じると、その機構をもっている雌ジカのほうが健康な雄と交配して健康な子どもを設けやすく、判断機構の遺伝によって子孫に「立派な角を好む」特性が広まる。これが、立派な角の雄を好むような進化が生じる仕組みである。

けっして「立派な角を持ちたい」と雄ジカが考えたから進化するのではなく、機械的な遺伝メカニズムによって進化が起きることに留意されたい。そして、私たち人間から見ても、シカの角が立派に見える事実は、何か立派なものを好む感情的な判断機構が哺乳類全般に広く機械的に遺伝していることを物語っている。

こうして立派な角は〝力強さと健康の象徴〟となったのである。ところが、もしシカに、他のシカの角を拾って自分の角に結びつける知恵があったとしたらどうだろう。もはや立派な角は、その個体の力強さと健康の象徴とはならず、〝フェイク〟に転じてしまう。

つまり、力強さと健康の象徴は、それを装う知恵が生まれない範囲で有効な仕組みなのである。

アフリカに多く棲息するコクホウジャクは、雄だけが立派な尾羽を身につけている。コクホウジャクの場合は、尾羽によって雄同士で戦うわけではないので、アカシカの角のような力強さではなく、「美しさをディスプレーしている」と解釈できる。

コクホウジャクでは、雄が自分のなわばりに複数の雌をかこってそれぞれ卵を産ませるのであるが、このなわばり内の巣の数をめぐって興味深い〝フェイク尾羽実験〟が行われている。すでに、雄のなわばり内の巣の数は、尾羽が長いコクホウジャクでは多く、尾羽が短いコクホウジャクでは少ないことが知られていた。

そこで、生物学者のアンダーソンが両者の尾羽を切って交換してくっつけてみたのである。その結果、尾羽が短くなったコクホウジャクではなわばりの巣の数が減り、尾羽が長くなったコクホウジャクでは巣の数が増えたのである。雌は雄の尾羽を手がかりにして配偶相手を決めており、フェイクの尾羽でも雌がひっかかることが明白になった。

鳥が長い尾羽をもつと体重が増えて飛びにくくなり、生存に不利になってしまう。それにもかかわらず長い尾羽が進化するのは、雌がより長く立派な尾羽をもつ雄を選択するからだ。この雌による選択傾向が生物種に広まると、長く立派な尾羽が健康の指標にもなる。なぜなら、体重が増えて飛びにくいにもかかわらず生活できている「長い尾羽の雄」は、健康であるにちがいない。また、そもそも健康を害していれば尾羽がみすぼらしくなってしまうだろう。

こうして、長く立派な尾羽は「美しさと健康の象徴」となる。コクホウジャクの場合は「美しさを好む」判断機構は雌に顕著にみられるが、鳥の種類によっては雌にも雄にも両方に見られる。判断機構は雌雄に関係なく、遺伝によって子どもに引き継がれるので、それは驚くことではない。その結果、コンゴウインコのように雌も雄もきらびやかな羽毛をまとった鳥も多く知られている。

きらびやかな羽毛のコンゴウインコは、ペットとしての人気が高い。この事実は、鳥がもつ「美しさを好む」判断機構と同様の機構が、人間にもあることを示している。つまり、人間も美しさを手がかりにして、ペットを選ぶだけでなく、配偶者や仕事上のパートナーを決めている可能性が高いのである。

ただ、鳥は羽毛を装うことはできないが、人間は服装によって見かけを装うことができる。顔もシミやシワを目立たないように化粧して、年齢によるリアルな衰えも隠すことができる。このように、見かけの美しさをとりつくろう行為が蔓延すれば、人間の見かけの美しさは「健康の象徴」となりにくく、見かけの装いは〝フェイク〟とされる可能性が生じる。

ところが、そもそも人間社会では保健や医療が発展しており、健康維持や病気治療が効果的に行われている。若く頑強なアスリートが突然重い病に倒れるが、高度医療によって再度復活も果たせる時代である。現代では、人間同士で相手の健康状態を見かけから推し測る意義は低くなってきている。すると、動物の時代に「美しさ」の判断機構が生物種の維持に必要な「健康度合いの判断」に使われていたのに対し、今日ではただ「美しさ」のみの、なかば娯楽的な機構となりつつある。

こうして、芸能人がテレビに出演するときは「みんなメーキャップして着飾っているよね」という認識があたり前になり、見かけの装いは「美しさの演出」であり、誰もフェイクと思わなくなってくる。さらに、見かけの装いが安価に行えるのであれば、「身だしなみ」と位置づけられるほどの気軽な行為となるのである。

これが、リアルを装う人間の知恵がフェイクをもたらし、そして、そのフェイクが広まると一部で演出に転じる背景である。

## †力強いリーダーにひかれる

美しさが演出できて娯楽として扱える一方で、力強さに関するところではフェイクとしての問題が依然として残っている。私たちが力強いリーダーにひかれ、従ってしまう傾向が、社会問題となっているのだ。この点についても動物時代にさかのぼりながら、理解を進めよう。

サルの仲間の多くは、数十頭の集団で生活している。集団にはボスがいて、敵がなわばりを襲いに来たら、ボスの指令のもと、集団は一致団結して敵と戦う。このボスの地位につくのは、力の強い雄の個体である。ひとたびボスが雄叫び(おたけび)を上げれば、集団の他の個体も戦意を向上させ、敵意をむき出しにするのだ。

ボスとなるのも戦闘に参加するのも、雄の個体が中心となる。その生物学的理由は、雄の個体がある程度死んでも、残った雄が種つけすれば生物種の持続に影響がないからである。これも機械的な進化メカニズムに由来する。

一般に、雌雄で異なる行動は体内で分泌される性ホルモンが影響している。雌雄で同じ遺伝子をもっていても、遺伝子が発動する性差が性ホルモンによって生まれる。そのため、戦意の向上度合いに性差をつける働きがたまたま生じると、戦意向上が雄で大きくなり雌で小さくなるほうが生き残りに有利になり、その性ホルモンによる発動機構が後世に残りやすくなるのだ。なぜなら、雌が戦死すれば、すぐに次世代の子どもの数に影響するが、雄は多少戦死しても、次世代の子どもの数に影響しないからである。今では男性ホルモンのテストステロンの量が、雄にしろ雌にしろ、各個体の好戦的な行動傾向を決定づけていることがよく知られている。

サルの仲間の中でも、生物種の系統のうえで人類のすぐ隣に位置するチンパンジーは、ボスを決めるために力ずくの勝負を終始行っている。個体同士がケンカによって相互に順位付けされ、最高位につくのがボスなのである。地位が上のほうが配偶者や食料を多く獲得できるので、皆が地位の獲得競争に邁進してしまうのはやむをえない。しかし、ボスになっても安泰ではいられない。加齢やケガで力が落ちれば、すぐにボスの地位はおびやかされる。いわば、〝絶えまない暴力〟によって集団内の地位が正当化されている〝安心できない社会〟なのである。

ただ、暴力ばかりでは雄たちの傷が絶えないので、コストが大きすぎる。そこでチンパンジーも、アカシカと同様「力強さのディスプレー」を一部導入している。身体の大きさを誇示する、牙（犬歯）をむく、大きな音を立てるなどである。

人類もチンパンジーと同様、暴力によって支配と服従の階層的な組織を作る傾向がある。ただ、さすがに文明社会では、基本〝暴力なしよ〟とされているため、「力強さのディスプレー」がかなり使われ、それがフェイクの発端にもなっている。管理職に背の高い人、声の低い人、毅然とした態度の人が向いているなどと、（もちろんそんなことはあってはならないが）ささやかれる向きがある。誰しも、そうした〝管理職向きの人〟の話を、そうでない人の話よりも信用したという経験に、思い当たるところがあるだろう。

### ［コラム1］なぜ男性の声は低いのか

人類は男性だけが声変わりをするが、なぜだかおわかりだろうか。声を低くして自分を大きく見せることが、男性の地位の向上に有利に働いたから、声変わりが進化したのである。

声は身体に共鳴するので、多くの動物で身体が大きい動物ほど叫び声が低い傾向がある。人類も捕食動物の脅威に長くさらされてきたので、繁みの向こうから聞こえてくる「低いうなり声」に動揺するように進化していた。「大型の猛獣が繁みの向こうにいるぞ」と思うからである。

あるとき、この傾向を逆手にとるフェイクが進化した。自ら低い声を出せる個体が生まれたのだ。低いうなり声があげられれば、猛獣のほうが恐れをなして去っていくこともある。とくに、遠くまで狩りに出かける役割を担った男性では、低い声が命を救うことも多くなった。こうして、声変わりによって身体の大きさ以上に低い声をあげる個体が増えていった。

さらに、身につけた低い声は「力強さのディスプレー」にも利用できるので、集団生活の中で高い地位を目指す男性において、とりわけ有利になってきた。その結果、低い声を出して他の個体を圧倒する手法が男性に蔓延し、現代までひき継がれてきたのである。しかし、文明社会では「暴力を背景とした組織」は減っているので、この手のフェイクはだんだんと必要がなくなっていると言える。

ちなみに、声変わりの遺伝子は女性にもひき継がれているが、性ホルモンの作用で発現せずに眠っている模様である。声変わりが起きると女性にはデメリットがあったのが原因とみられている。その原因として指摘されるのが育児への影響である。乳幼児は力が弱く、猛獣などの捕食者を怖れる特性をもっている。そのため、低い声を警戒する傾向が強く、母親が低い声であると、養育に問題が起きやすいのである。

今日では、養育をする男性が高い声を出して赤ちゃんをあやしている光景をよく見かける。男性の場合は、裏声を使った高い声で話しかけたほうが赤ちゃんの反応がよいことが、実験でも裏づけられている。〝育メン〟は、そうしたノウハウを無意識のうちに身につけているのだ。私たち人間は、社会や環境に合わせて自らを変えられる〝特別な動物〟なのである。

さて、ここまで見てきたように、「力強さのディスプレー」がフェイク問題に発展しやすい典型的な職業が、政治家である。管理職が「力強さのディスプレー」をしていても、日常的な仕事における具体的な言動がとても頼りなければ、部下の心は離れていく。業務命令には従っても、率先して組織のために働こうとは思わなくなるものである。ところが、政治家の場合は必ずしも日常的に有権者と接するわけではないので、「力強さのディスプレー」が有効に働きやすい。

それに、政治家はウソをつく必要のある職業である。たとえば、川が流れる地元のA地区の有権者とB地区の有権者がそれぞれ「自分の地区に橋をかけてほしい」と要望してきたら、どちらの有権者にも「よしよし任せておけ」と言わねばならない。かりに「二カ所にかけるのはさすがに無理だな」と思っていても、毅然とした態度でいなければならない。正直に「ダメかもしれない」と一方に言ってしまえば、頼りなく思われてしまい支持者が減ってしまうからだ。A地区にだけ橋がかかったならば、後になって「最善を尽くしたが、力及ばず申し訳ない」とB地区の有権者に謝るのである。

こうした状況にある政治家の発言には、多くのフェイクが潜在していることが自ずと明らかである。政治家はフェイクを気づかせないために「力強さのディスプレー」を常用する傾向がある。ときには、語気を強めて、社会的に問題のある明らかなフェイクを押し通すことさえある。「あの人が言うんだからしょうがない」などと、政治家の発言を受け入れてしまう有権者側の問題もあいまって、政治分野のフェイク問題は根が深い。

### †ウソつき上手のウソは見抜けない

政治家が、「たぶんダメだろうな」と思いながら「よしよし任せておけ」と言うのは、いわゆるウソに該当する。だまされて落胆しないためには、政治家の口車に乗らないよう警戒したいとも思う。では、他人がつくウソは、どれだけ見抜けるのだろうか。

日本で、一時期メンタリストというのが話題になった。メンタリストとは、心理学を駆使して他人の心の中を読んでしまう〝達人〟とされていた。そのころは、私のゼミにも「メンタリストになりたい」と言って入ってくる学生も少なくなかった。しかし、このメンタリストとは、超能力を演出するマジシャンを表す言葉なのである。

米国にはメンタリスト協会といって〝超能力マジシャン〟が集まる団体がある。マジックを行うには、観衆が誤解する心理をよく知っていなければならないので、心理学に造詣が深いマジシャンが、そうした団体のメンバーに多く含まれている。私は米国滞在中に、メンタリスト協会のメンバーである著名な社会心理学者ダリル・ベムと、数日一緒に過ごす機会に恵まれた。超能力（メンタル）マジックも披露してもらったが、なかなか見事なものであった（このときの様子は拙書『超心理学』に詳しい）。メンタリストが「人の心が読めている」と言っても、その背後に巧妙なトリックがあるのだ。

実際のところ、他人の心の中を読むのは難しいことが、心理学の〝ウソ見抜き実験〟で判明している。その実験では、他人がウソを話すところとホントを話すところを次々に見せて、それぞれウソかホントかを判定させる。ウソとホントは半々にしているのだが、実験によると、正しく判定できた割合は偶然の半分よりちょっとだけ良い程度にすぎない。

二〇〇六年にボンド&デパウロが、それまでの数々の実験をまとめた分析では、全体正答率は五四パーセントとなっている。

確かに人によっては、ウソをつくときに「舌を少し前に出す」などの特殊な動きをする。メンタリストは一部それを手がかりにしてウソを見抜いているが、それにしても正答率は高くない。そこで、失敗した場合に備えて、「どんなに優秀なメンタリストも万能ではありません」とか、「あなたは優れた俳優になれる素質をお持ちですね」とかのセリフを準備しておくのだ。テレビ番組ならば、失敗のシーンは放映しなければよいだけである。

また、そういった〝特殊なウソの動き〟をしてしまうと自分で自覚できれば、訓練して動きを抑制したりカモフラージュしたりできる。つまり、ある程度の練習を重ねた〝ウソつき上手〟ならば、そのウソが見抜かれることはほとんどないと思ってよいのである。

メンタリストを目指した学生は、ウソは見抜けないと聞かされると落胆していた（実は安心していたのかもしれないが）。そうしたとき私は「ウソを見抜きたいと思ったのはなぜなのか考えてみよう」と指導している。政治家が「よしよし任せておけ」と言うときに、今の発言は「ウソが八五パーセントですね」などとわかってしまったら、誰も政治家になりたくないかもね、などと考えさせると、学生は納得顔である。

私は、「学生の本心がわからなくてよかった。もし本心がわかったら、授業はいつまでたっても終わらず、教師にはなりたくないと思ってしまうな」と、納得顔をそのまま信じて、それ以上追及しないことに決めている。

## [コラム2] サイコパスは政治家向き?

米国の第四五代大統領のドナルド・トランプは、あまりのウソつきで、サイコパスなのではないかと疑われるほどであった。確認されているウソ(もちろん間違いも含まれる)は、就任期間全体で数千にのぼる。演説会の来場者数を数倍に〝盛って〟話すなどの、確認すればすぐにわかるウソが多く、それもツイッターでどんどんつぶやいてしまうので、〝フェイクニュースの発信源〟とも揶揄された。新聞が「トランプ発言は誤っている」と指摘すると、その記事自体をトランプが「フェイクニュース」と批判する始末である。

トランプが真にサイコパスかどうかは別にして、サイコパスらしき言動が目立ったことは確かである。このサイコパスとは大ざっぱに言って、人を支配する傾向が強く、恐怖感情が低い傾向のある人である。古くはサイコパスというと、凶暴な殺人犯がイメージされたが、今では暴力性を除外して考えるようになっている。

通常の動物は、自分に危険がせまると恐怖を感じ、その危険な状態を回避しようとする。人間で言えば、自分の発言内容がいい加減なときに、「ウソだと糾弾されるな」と思えば「さすがにヤバイかな」と、控えめに発言するものである。それがサイコパスの場合は、ヤバイと思いにくく、がんがん発言できてしまうのだ。脳科学では、恐怖感情は扁桃体が司っていることが知られているので、そこの働きが弱い疾患に相当するのではないか、と考えられている。

通常の生物は、恐怖感情が小さいと危険なことに身をさらしてしまい生存上不利である。だから、人間を含め多くの生物は基本〝怖がり屋〟である。人間に至っては、危険を予測する想像力までをも身につけているので、将来への不安も大きく抱くようになっている。

ところが、人々の不安が高まりやすい環境は、サイコパスの活躍の場になる。失敗にめげないサイコパスは、いい加減なことを言っても将来を不安に思わない。そのため、いとも簡単に断言ができる。不安を抱えた人々は、「自分と違って断言できている人は確信があるのだな」と思うので、その〝自信のある人〟を信用してしまい、将来を託するのである。こうして生存上不利なはずのサイコパスにも利点があるので、人類では他の動物よりもサイコパスが増えている可能性がある。

さらに、今日の生活環境では危険なことが減ってきた。そうした安全な社会では、恐怖感情がむしろ少ない人のほうが活躍できる。とくに、〝七転び八起き〟と、失敗にめげない活躍が奨励されるビジネス世界では、恐怖感情が高ければとてもやっていかれないだろう。つまり、現代社会では、サイコパスにとって格好な場がますます広がっているのだ。

もうおわかりのように、政治家はサイコパス向きの職業となってしまっている。政治家が人々を支配する権力を持てるとすると、サイコパスがその地位を目指す動機は高い。そのうえサイコパスは、容易に力強さを装うことができ、魅力の対象ともなりやすいわけだ。

古くから、力強さは、集団をまとめるのに有効に働いてきたが、民主社会におけるその弊害も目につくようになっている。支配と服従の関係は実質では減ってきているものの、「力強さのディスプレー」という形で残っている。政治家という職業のあり方も再考すべき時期に来ているのかもしれない。

## †ウソ発見器は何を調べているのか

ウソを見抜くのが上手とされる人に、刑事があげられる。敏腕刑事は、容疑者のウソを見抜くのが上手で、自白に追い込める達人とサスペンス・ドラマでよく描かれる。しかし、実態はそれほどでもないことが、前述のウソ見抜き実験で判明している。もし「おれはウソを見抜くのが上手だ」と公言している刑事がいるとすれば、うまく見抜けたときの印象が強くその記憶が多く残っている現象（第5章の確証バイアスを参照）なのだろう。

それに、刑事に尋問を受けて、真犯人をかばって自白した人が裁判で有罪になったとしたらどうだろう。刑事は「ウソを見抜いた」と思っているが、実態は自白した人のウソに刑事がまんまとだまされたことになる。こうした場合は、真実は闇の中になってしまう。

ウソを見抜くことが人間に期待できないとしたら、機械にゆだねたらどうだろうか。読者の中には、「確かウソ発見器というのがあったな」と思う方もあるだろう。ところが、ウソ発見器は〝ウソを発見する機械〟ではないのである。

ウソ発見器と通称される機械は、ポリグラフという技術で、容疑者の心拍、呼吸、皮膚電気伝導度などの複数（ポリ）の生理指標を測定し続けて即座にグラフ化する機械である。「ヤバイな」などと思ったときには、ドキドキして心拍数が変化したり、手に汗握る状態になって皮膚電気伝導度が上昇したりするので、その瞬間のグラフ変化で心中が読み取れるとされる。

しかし、実際に取り調べの一部で使われることがあるポリグラフは、ウソ発見の用途に使っておらず、おもに「記憶の発見」をしようとしている。なぜなら、ウソを言うときのドキドキ具合は個人差が大きいうえに、なかにはウソをホントと思い込んでいる容疑者も多く、安定した検出が困難だからである。かわりに、より安定した検出が見込まれる「記憶の発見」に使っている。それは次のように行われる。

たとえば、殺人事件の容疑者の取り調べで、殺人に使われた道具がハサミだったとしよう。その場合、ポリグラフにつないだ状態の容疑者に、「殺人に使われやすい道具を示しますね」と言って、包丁、金づち、ハサミ、ノコギリ、ロープなどと順に見せていく。もし、ハサミを示したときにだけグラフが大きく変化したならば、ハサミが凶器だったことを容疑者が知っていると推定する。それが加害者しか知りえない事実であれば、容疑が高まるという具合である。

しかし、事件を密かに目撃してしまった人、容疑者をかばっている人なども、その〝知りえない事実〟を知っており、ポリグラフが変化しやすい。その一方で、サイコパスのように危険を恐れない人は、犯人であってもヤバイと思いにくいので、そもそもポリグラフが変化しにくいのである。

このようにポリグラフには大きな限界があり、取り調べの現場においてもそれほど多用されてはいないのが現状である。

## †情報源の信頼の由来を確認しよう

本章では、「見かけがつくるフェイク」について解説した。動物の生活では、見かけが重要な意義をもっているが、人間の生活では見かけを装うことが普通に行われるようになってきた。誰もが簡単に装うことができれば、もはやフェイクではなく演出とされる。こうして、人々が服装や化粧をすることが、ひとつの自己表現として文化に組み込まれてきたのである。

ところが、今でも階層的な組織の中では、支配と服従の関係に根差した「力強さのディスプレー」が残っている。上司が恫喝することで部下が怯えて従ってしまうのであれば、パワハラである。恫喝は、雇用契約にはうたわれていないような支配権力を装うフェイクであるのに、部下の恐怖感情が自動的に発動して威圧効果が生じるのだ。

現代社会においても、前述した政治家の例も含めて、演出として笑い飛ばせないフェイクがまだまだ蔓延している。そうした見かけを装うフェイクに惑わされないためには、私たちが「外見から引き出される架空の信頼に自覚的になること」が必要である。

よく「情報をうのみにせずに情報源を確かめよ」という教えを耳にする。しかし、その教えに従って確認し、情報源が〝信頼できる専門家や政治家〟だったならば、それだけで「情報源を確かめてOK」となってしまいかねない。自分が抱く〝信頼〟が、その専門家が〝いつも白衣を着ている〟ことや、その政治家が〝低い声で堂々としている〟ことに由来しているのであれば、確認は役に立っていない。

すなわち、情報源を調べて信頼がおけると思ったら、その自分が思う〝情報源の信頼〟が何に由来しているかを、重ねてチェックする必要がある。それが何らかのディスプレーに由来していたら、その分を割り引いて考える必要がある。

フェイクを見抜くのはなかなか難しい。しかし、私たちがどんなときにフェイクにひっかかるかを熟知していれば、フェイクである可能性が高いものをかなり識別できる。次章以降は、そのようなノウハウを伝授していく。

たとえば、刑事でもウソを見抜くのが難しいと聞いた方が「ウソ発見器なら見抜けそう」と思ったならば、「ウソ発見」という言葉に強く印象づけられたため（第3章）かもしれない。また「人間より機械が信頼できそう」と思ったならば、科学技術への信頼が高いため（第5章）なのだろう。

実際のところ、たとえ人工知能技術を応用した機械であっても、基本的な知識やテクニックは人間が機械に与えている。だから、機械の中身がどうなっているかによって、その信頼度合いは千差万別なのである。それに機械の中身の技術的詳細を知らなくとも、誰がどのような目的でその機械を製造したかに注目すると、信頼してよいかどうかをうまく推測できる（「コラム10」）のである。

どうだろうか、少しはフェイクの見通しがよくなったのではなかろうか。本書を最後まで読み進めば、読者が情報にだまされたり惑わされたりする頻度が、さらに減ること請け合いである。

第2章

# 共感に訴えるフェイク
## ——人の話を信じる理由(わけ)

## †共感にもとづく行動は魅力的

商品広告には、利用者の体験が書かれているものが数多い。広告の中では基本、十分な根拠がなければ、その商品の効果を表示することができない。このルールに抵触すると、景品表示法により消費者庁から摘発を受けてしまう。ところが、個人的な感想であれば、言論の自由という原則もあり、表示が許される向きがある。

販売業者も、「この運動器具を使っていれば、普通に食べていてもやせます」と広告に表示して売りたいところ、実際そうした実験データもないし、あからさまなウソにもなるので、〝個人的な感想〟の作戦を使う。〝利用した人〟の写真とともに「わたしは○○でやせました」と大きく表示し、隅に小さく「個人の感想です。商品効果を示すものではありません」などと書いておくのだ。

こうした隅に小さく表示された注釈は、広告の主張を適切に限定する役割を担っており「打消し表示」と呼ばれている。言い換えれば、主要な主張に「打消し表示」をプラスすることによって正当な商品広告になるところを、広告主は「打消し表示」を読ませないことで、消費者に商品の良さを拡大解釈させせようとするフェイクなのである。

消費者庁は二〇一七年、この「打消し表示」を消費者がどの程度認識しているかの実態調査を行った。予想通り、多くの消費者が「打消し表示」に気づかずに商品購入を決めていたのである。ところが、その気づかずに商品購入を決めた人々に対して「打消し表示」の内容をしっかり伝えたうえで、購入を再度検討してもらったところ、購入をとりやめた消費者は、予想に反してごく少数にとどまったのである。

この調査結果は、〝個人的な感想〟を告げられた場合、それが一個人の単なる意見であるとわかっていても、その成功体験に共感し、同じ商品を購入した自分にも同様な状況が訪れると、強く期待する消費者が少なくないこ

とを示している。

広告の制作側では通常、広告に〝一般消費者〟を載せる場合も有名人と同様の〝演出〟を行っている。つまり、エキストラ会社から〝一般消費者〟のイメージに合った人を派遣してもらい写真を撮ったうえで、〝個人的な感想〟については制作側で作文しているのだ。「打消し表示」の調査結果をふまえると、広告の裏側を消費者がある程度理解していたとしても、共感にもとづく行動の誘引がそれ以上にあると思われる。本章では、この共感や同調、それにもとづく他者の意見を信じる傾向について考えていく。

ここで、共感にもとづく行動の誘引が社会問題化しやすい背景について、さらに事例を紹介しておこう。最近、スーパーでもよく見かけるようになった〝生産者の顔が見える野菜〟である。並んだ野菜の上部に、「わたしたちが心をこめて作った野菜をぜひどうぞ」などと、農家の方々の笑顔や収穫の様子が写真つきで表示されているのである。思わず買いたくなるのは、私だけではないだろう。

生産者の写真が野菜に付加価値をつけるのは、販売戦略上の大発見であった。「あの人の畑でとれた野菜なのできっとおいしい」とか「ちょっと傷がついていても大丈夫」とかと感じる消費者に支えられ、売り上げが上がるのだ。これは〝生産者への共感にもとづく消費〟と言えよう。

ところが二〇〇八年、商品パッケージに印刷された〝農家の皆さん〟であるはずの顔写真が、加工工場の社員であった事例が発覚して、農林水産省によって摘発された(JAS法違反)。加工した原材料が中国産であるのを偽装していたのだ。こうした摘発は氷山の一角であり、膨大なフェイクが潜んでいるのではないかとも思われた。共感にもとづく消費が単純に広まるとフェイクが横行し、消費者が引っかかってしまう問題は大きい。

しかし、情報社会になった今日ならばフェイクはかなり防げる。スーパーで並んだ野菜の上部に写真とともにQRコードを表示し、それをスマホで読み取れば生産者の考え方や農場の様子が動画で配信できる。さらに、生産者との対話までもが可能な環境をも整えることができる。熱意のある消費者が、そうした手段を利用して、生産者との交流を深めたうえで野菜を購入するのであれば、共感にもとづく妥当な消費であり、フェイクが入りこむ余地はほとんどなくなるだろう。

情報技術の進展は、共感に訴えるフェイクを増やす働きをする一方、減らす働きもする。私たちがフェイクに対抗するスキルを磨くには、私たちの共感が「どのような特徴をもつ心理作用であるか」を認識したうえで、的確な情報技術の利用を心がけることが肝要である。これが本章のテーマである。

## †だまし合いから信じ合いへの転機

共感の由来を探っていくために、また動物の話から始めよう。前章では、アカシカやコクホウジャクが行うディスプレーをもとに、動物がニセのディスプレーを装う知恵がないかぎりは、そのディスプレーが健康などの指標となり得る実態を解説した。しかし、動物の中には、相手に応じて行動を装う知恵を身につけているものがおり、その種の動物の中では〝だまし合い〟が行われている。

たとえば、ブタの行動観察では、食べ物があることを知っているときに近くに強い個体がいると、あえて食べ物がない方向に歩き出すことが知られている。自分より力が強い個体に発見されてしまえば横取りされてしまうので、食べ物がないところへと誘導する目的からである。だます意図にもとづいたフェイク行動と言えよう。

またカラスでは、自分が見つけた食べ物を隠しておく行為が知られているが、他の個体がいなくなってから、隠し場所に行くことが観察されている。さらに、その隠す行為をカゴに入れた別のカラスに目撃させた後、カゴのカラスを外に出す実験をした。すると、食べ物を隠したカラスは、他の個体が隠し場所に近づいても〝気にしない〟そぶりを見せていたのに対し、当の目撃した個体が隠し場所に近づくと攻撃をすることがわかった。カラスは、個体識別をしたうえで相手の知識を推し測って態度を変える知能をもつことが、こうした実験から明確になったのである。

生物の生存競争では、「強いものが生き残る」と、とかく筋力の強さや体格の大きさが強調されがちだが、ライバルを出し抜く知能の高さも重要になる。つまり、他個体をうまくだませる個体が生存競争により多く勝ち残り、だましのテクニックがどんどん進化するという具合である。

動物の間でだまし合いが横行すると他個体の言うこと（動物はしゃべらないので「態度で示すこと」と考えてほしい）は信じなくなるはずである。なぜなら「あっちに食べ物があるぞ」と言う話を信じても、そこには絶対に食べ物はないからである。いい話を信じても〝バカを見る〟だけなのだ。

では、なぜ人間は動物の一種でありながら、人の話を信じるようになったのだろうか。また、他者に共感を抱くようになったのだろうか。そのような認知の構造は、狩猟採集時代の生活環境に応じて進化した〝偶然の賜(たまもの)〟なのである。

狩猟採集時代とは、およそ三〇〇万年前から一万年前まで、人類の祖先がおもにアフリカで経験した生活形態である。それ以前の人類の祖先のサルは、アフリカの森に生きていた。木の上を渡り歩き、食べられる木の実や昆虫が見つかれば食べるという、自由奔放な生活をしていた。しかし、地球規模の気候変動でじょじょに寒冷化が起こり、大気中の水分が減って内陸部は乾燥化し、森が縮小していった。森から追われた人類の祖先は、食べ物が得られにくい草原（サバンナ）での生活を余儀なくされた。これが、狩猟採集時代の始まりである。

サバンナでは、わずかな食べ物を求めて遠くまで歩く必要があった。そこで私たちの祖先は、進化によって体形を変化させ、直立二足歩行をするようになった。我々ホモサピエンスを含めた「広い意味でのヒト（ホモ属）」の誕生につながる。狩猟採集時代になって必要となった直立二足歩行を大きな特徴とする、新しい動物種が生まれたのである。

前述のように狩猟採集時代は、乾燥化のため食べられる植物が減ってしまったので、少ない木の実や木の根を〝管理して食べる〟必要性が生じた。小さなうちに勝手に食べてしまっては、食料が十分に得られない。そこで、皆で植物の成長を管理して、もっとも大きく成長した時期に採集する「協力の知恵」をヒトは身につけていくのである。

また、サバンナに生きるさまざまな動物を狩猟するうえでも、「協力の知恵」が必要だった。ヒトの身体能力は弱く、とてもサバンナに生きる頑強な動物をひとりでは捕らえられない。そこで、集団での狩りを編み出したのである。追い立てる人々、待ち伏せしてとどめを刺す人々などの分業を行うと、ある程度の頻度で狩りに成功したにちがいない。

そして、この狩猟採集時代の協力生活を支えたのが、食べ物の「公平な分配」である。たとえば、大型動物の狩りに成功したら、食べきれないくらい（もちろん、当時は保存する知恵もまだない）の食料が手に入るので、食べ物は集団で分けて食べるのが効率的である。分け合えれば、一部のグループが狩りに失敗しても飢えなくて済むというわけだ。

こうして協力集団では、周囲の人々と一緒に行動する利点が大きくなる。皆と一緒に狩りに行く、一緒に木の実取りに行くなどと、同調した行動をとっていたほうが、集団の協力がうまく行え、協力の成果としての食べ物も多く得られ、人々の生活も守られる。その結果、私たちがときおり懐かしく思い出す〝ほのぼのとした助け合い集団〟が確立したのである。

ちなみに、狩猟採集時代の協力集団は五〇人から一〇〇人ほどで、周囲にある食べ物の量によってまかなえる人数に応じて増減していた。進化心理学者のロビン・ダンバーの分析によると、最大でも一五〇人であったと推定されている（後の研究でダンバーは、ＳＮＳ

上の集団形成でも同様な人数限界が見られると指摘している）。これ以上、集団の人数が増えると、同じ所に一緒には生活できず、一部の人々が「食べ物の豊富な新天地」を求めて移住していったのだろう。

こうした協力集団は、いわば〝一蓮托生の密な仲間たち〟である。自分だけ食べ物のありかを知って食べてしまうのはいけないことであり、皆に知らせる義務があっただろう。うまい狩りの方法を思いついたら、自分が狩りを実践しなくても、周囲の皆に伝えれば誰かが狩りに利用して食べ物をとってきてくれ、自分の食料にもなる。皆が集団のために働き、集団と運命を共にしたのである。

ヒトでは、協力集団を結成することで、周囲の人の言うことを信じたほうが集団内の協力が進むという、特殊事情が成立した。周りの人にウソを言えば集団の不利になり、自分の生存自体にも影響してしまう。これが、動物のようなだまし合いから、人間らしい信じ合いへの転機だった。ヒトは、聞いた情報を疑うよりも信じてチームワークを高めるほうが有効な協力集団に二〇〇万年以上もの長い間生活していたので、情報を信じる態度が私たちに深く根づいたのである。

その結果、私たちは「真実バイアス」を抱くようになった。真実バイアスとは、聞いた話をまずはホントと思う傾向である。二〇〇六年のボンド&デパウロ分析(第1章)では、ウソとホントを半々に混ぜて判定させた実験の総計で、被験者たちは平均して五七パーセントをホントと判定していた。人間はホントをウソと疑うよりも、ウソでもホントと思うほうが容易になっているのである。

## †共感を支えるミラーニューロン

さて、歴史的な経緯がわかったところで、こんどは私たちの共感について深く考えてみよう。共感とは、他者の感情、思考、行為などを自分のことのように認知できる脳の働きである。イタリアの脳科学者ジャコモ・リゾラッティらが、「ミラーニューロン」と呼ばれる神経細胞(ニューロン)を発見し、共感の研究を加速した。この発見の経緯がとても興味深い。

リゾラッティらは、サルの脳に電極をつけ、サルがいろいろな行動をとったときに、脳の中のどの神経細胞が興奮するかを調べていた。ある日、彼らはサルに餌を与え、食事をするときに興奮する神経細胞を探し当てた。この手の作業は、サルを使った脳研究では、通常のルーティンワークであった。ところが、彼らが休憩をとり、サルのオリの前で食事をしていたところ、神経細胞の興奮をキャッチした測定器が信号を発したのである。ミラーニューロンの発見の瞬間であった。

彼らが発見したミラーニューロンは、食事行為のミラーニューロンであった。自分が食事したときに興奮する神経細胞の一部が、他者の食事を見たときに、自分の行為のように興奮したのである。その後の研究で、この神経細胞は、単にコップや皿を取り上げるという、食事の際に起きる部分行為だけでは興奮しないことも明らかになった。つまり、空のコップを取り上げるという片づけ行為では興奮せず、中身のあるコップを取り上げるという「食事を期待させる行為」でのみ興奮するのだ。

ミラーニューロンは、他者の行為が自分の行為のように感じ取れる〝鏡（ミラー）のような働き〟をすることで、他者の状態を素早く感知することに役立っている。たとえば、サルの場合、他個体が餌を食べている様子を見ることで、自分が食べる状態と同様な脳活動がほとんど自動的に起きることで、「おいしそうだな、横取りはできないか」などと、思考を働かせる手がかりになっている。この段階では、闘争を起動する働きであって、とても共感とは言えないのだが、人間のミラーニューロンでは協力を促進する働きに発展したのである。

人間において、さまざまな感情や同調行動などについて、それぞれミラーニューロンが見出されてくると、共感の発動の多くにミラーニューロンが寄与することがわかってきた。たとえば、泣いている人を見て共感するときを考えよう。

私たちは、他者の悲しみを直接感知することはできない。悲しみが内的な気持ちだからである。ところが、自分が悲しくて涙が出ることを経験すると、他者が泣いているところを見てミラーニューロンが興奮するようになる。ミラーニューロンが興奮すると、自分が悲しんでいる状態が一部再現され、「あの人は、自分が悲しんでいるときと同様の悲しい状態なのだ」と感知できるのである。協力集団の仲間の悲しみが実感できれば、その仲間を助ける気持ちが発動する。これが悲しみの共感であり、協力集団の結びつきを強める代表的な心の働きなのである。

### [コラム3] チンパンジーは指さしがわからない

私たちは、周りの人に助けを求めるとき、「それとってくれない?」などと言いながら、とってほしい物を指さす。言われた人も、相手が何をとってほしいのかを理解し、自然に援助できる。この指さしを理解する認知機能は、考えてみるとけっこう高度な技である。

相手が指さした延長線上の空間に位置する物で、相手がほしがり、かつ自分がとってあげられる物を推定する知能が必要である。

人間の場合、指さし理解の発達は、生後一八カ月までに完了するとみられている。この段階を過ぎた幼児に対して、指さし理解実験が行われている。二つの箱のいずれかにお菓子が入っている状態で、実験者が「お菓子が入っているほうの箱」を指さすと、必ずと言っていいほどそちらの箱をとってお菓子をゲットできる。そして、お菓子の入った箱を実験者に見せて「食べてもいいの?」という仕草を見せるのだ。とった獲物を分け合おうとする、狩猟採集時代の祖先の態度がかいま見えるようである。

この発達の前提には、周りの人々との協力状況がある。そうでなければ、周りの人が自分のために〝お菓子のありか〟を教えてくれるとは夢にも思わないだろう。

事実、同様の指さし理解実験をチンパンジーに行うと、チンパンジーは指さし理解をしないことがわかる。この実験では、お菓子でなくバナナを使うのだが、実験者の指さしにはお構いなしに、チンパンジーは適当に一方の箱を開けてみるのだ。

ところが、実験者が指さしでなく、箱に向けて腕をのばすと事情は変わる。実験者が腕をのばしたほうの箱を開けるようになる。「相手がとろうとする箱には、食べ物が入っているな。先に横取りしよう」という考えが働くようである。

チンパンジーは、率先して相手を助ける協力をほとんどしない。そのような協力が必要な環境で生活してこなかったからである。一部に協力らしき行動がみられるのは、上位個体の要求に下位個体が従う場合である。これは協力というより、むしろ「支配と服従の関係」である。チンパンジーは人間に近い高度な知能の持ち主であるが、協力の習慣を持たなかったので協力に必要な認知機能が進化せず、集団内で情報を共有したり知識を蓄えたりする社会的な発展をとげなかったのである。

ちなみに、人間以外に指さし理解実験にパスする動物がいる。その動物は、イヌである。イヌは、人類の家畜としてオオカミから進化した特殊な動物である。温和でヒトに親密的なオオカミが選択されて家畜になり、その後も代々ヒトと協力できる個体が育っていった。その結果、イヌはヒトとの協力関係を認識でき、指さしを理解できるようになった。

イヌをペットにしている読者も多いだろうが、人間の指示に忠実に従うイヌの背後には、こうした〝協力の歴史〟があることを想像してみていただきたい。

### †ヒトは情報源を気にしない

人類が形成してきた狩猟採集時代のような協力集団内では、「情報の共有化」が進みやすい。集団の各メンバーは、集団のために役に立つ情報を周囲に伝え、受け取ったメンバーも「役に立つ情報だ」と思えば、また周囲に伝えるからである。

読者の中にも、人から聞いた面白い話を、その教えてくれた本人にまた話してひんしゅくを買ったという経験がある方も多いだろう。誰から聞いたなどは重要でなかったので、その記憶を保持する仕組みが整っていないのである。狩猟採集時代の生活では、とにかく協力集団で有効な情報が集団で共有されることが理想だったから、それが効率的にできるように、私たちの認知の仕組みが進化してきたのだ。

人間の場合、協力集団向きの準備が、胎児のうちにかなり整えられてから生まれてくるようだ。ウマの子は生まれてから二時間ほどですぐに走れる（そうでなければ捕食者に食べられてしまう）。ウマは走るための準備が整ってから生まれてくるのに対して、人間の子は人と協力できるようになってから生まれてくると言えるだろう。

人間の幼児の観察研究では、周りの人々を率先して助ける行動が見られている。それに加え、助けた結果、感謝されてうれしいという感情までもが、表情などで観察できる。これらは、チンパンジーなどの他の類縁種では見られない人類固有の特性である。

考えてみれば、幼児が協力集団でいち早く集団の役割を身につけるには、周囲の人々の言うことを鵜呑みにするのが一番である。あれこれ考えて疑ってみていては、時間がかかりすぎる。だから、周囲の人々の言うことを聞き、それに従っていち早く同調した行動をとる仕組みが人間に身についているわけだ。

ところが現代では、この傾向が大人になっても変更されずに問題にもなっている。

たとえば、かつて信用金庫が倒産するというデマが流れ、預金者がこぞって預金をおろしに行く「取り付け騒ぎ」が起きたことがある（一九七三年の豊川信金事件）。後から、デマの原因が特定されたが、生徒たちが電車の中でかわした会話が「信用金庫が危ない」と聞こえたことが発端であった。生徒はそのことを家に帰って家族に話し、家族は近所に電話してと、伝言ゲーム的に情報拡散したのである。信用金庫の預金者は、周囲の複数の人からこの同じ倒産情報を聞き、確実な情報と思い込んだのだ。

当の信用金庫は「倒産とはまったくの事実無根」と公言したが、信用されず、延々と預金の払い出し業務を続けた。この事実は、周囲の人々から重ねて聞く情報の信用度合いが、公的な情報の信用度合いよりも高いことを意味している。また、周囲の預金者が払い出しに行くのを見て、自分だけがそれに同調しないのは、かなり勇気のいる行為でもある。

人間は、周囲の人々を信じ、共感して、同調した行動をとるように狩猟採集時代に作られている。その現実をもとにフェイクを考える必要がある。かりに情報源を探り当て、たわいもない噂話だと判明しても、人々の信念や同調行動を変えることは容易ではない。

それに加えて私たちは、情報源がどこだったかを忘れやすい。同じ情報を信頼性の高い情報源と低い情報源から入手させて差異をみる実験では、入手した直後の信頼性判断は、情報源の信頼性に応じた差異があったが、一ヵ月後の再評価ではどちらも同じくらいの信頼性判断に変わっていた。信頼性の低い情報源からの情報の信頼性が、何もしなくても一ヵ月後に上昇しているので、スリーパー効果と呼ばれている。

## †商品よりも自分を売り込め

一見したところ矛盾のある格言に「人を見たら泥棒と思え」と「渡る世間に鬼はない」がある。前者は、見知らぬ人の言うことをやたらに信じてはいけないという戒めであり、後者は、そうはいっても、誠実にふるまえば見知らぬ人にも助けてもらえるという社会の理想を示している。とはいえ、理想への期待ばかりでは、共感のフェイクに引っかかってしまいかねない。直面する社会の現状を知ることが大切である。

これまで述べてきたように、狩猟採集時代の協力集団は一〇〇人程度の小集団だったので、周りの人々の言うことは基本信じるのがあたり前だった。ところが、約一万年前に農耕が始まり定住が進むと、今日のように数百数千の人々が一地域に住む町が現れた。町に住む各人は、それぞれ血縁を中心とした協力集団に属するものの、その集団の外側には見知らぬ人々がいるという状態になった。

見知らぬ人は元来、なわばりを奪いに来た敵などの〝戦う相手〟であったので、決して信頼する対象ではなかった。しかし、町の中では見知らぬ人であっても信頼を築ければ、たがいに協力可能な状態になってきた。協力関係が進めば社会は発展するが、一方でフェイクを呼び込んでしまうジレンマが生じるのである。

たとえば、町中の人々に向けて商品を売る販売員を例に考えてみよう。多くの人は、見知らぬ人を警戒するので、販売員が商品のセールストークをしても聞く耳を持たない客が多い。そこで、商品を売り込む前に自分の信頼を印象づけるのだ。世間話をして誠実な人間であることを客にアピールしたり、明らかに破格の商品や販売促進グッズを提供したりして客に得した気分になってもらったりする。しだいにお客は、販売員が自分の協力集団の仲間であるように感じ始めてくる。

そのタイミングを見はからって、意図する高額商品の購入を持ちかけるのだ。「あの人が勧めるのなら大丈夫」とか、「あの人から買ってあげよう」などと、共感にもとづく行動がひき出せれば、目的達成である。こうした販売テクニックは、フット・イン・ザ・ドア技法(まずはお客の家に足先だけでも入れて、次につなげよ)として、よく知られている。

協力集団でウソが防止できているのは、ウソをついてもすぐにバレること、かりにウソが常態化している人がいれば協力集団から排斥されることからであった(第1章)。ところが、町のように人口が増えて密な人間関係が減ると、ウソが防止しにくくなる。協力すると見せかけておいてどこかの集団に入りこんでも、そのウソがすぐにバレることはないし、かりにバレても、その集団から逃げ出してどこかでそしらぬ顔で暮らせばよい、となりかねない。

共感に訴えるフェイクを弄する販売員がいたならば、その悪い評判を町じゅうで共有できるだろうか。そのような信頼に足る情報網でもない限りは、「フェイクかもしれない」と警戒しておくに越したことはない。そういった意味で、現代の情報ネットワークは信頼に欠ける。フェイクがそれとはわからずに放置されているから、評判の共有には役に立たないのだ(第4章末)。

## [コラム4] 共感が強い人は苦労性

本章で重ねて述べたように、ヒトの共感は、協力集団を背景にしてはじめて意義が生じる特別な感情である。他者の悲しみを共感することは、その人がたがいに協力する仲間であるからこそ、共感することで助け合えるという恩恵が双方にあるのだ。しかし、現代社会では、協力集団を超えた共感の問題が生じている。

募金活動で多くのお金を集めるには〝共感に訴える〟ことが一番だという。多くの人々が自分とは協力関係にない人々に対しても共感をもてるのが、現代人の特徴と言えよう。旧来、自分の周りだけを仲間と考えていたのが、地球全体が皆仲間であると考えられるようになったのだろうか。そうであれば、共感は〝博愛精神〟の現れであり、立派なことである。しかし、そうした普遍的な共感は、フェイクにつけこまれてしまう。実際のところ、フェイクかどうか確認をしながら募金をしなければいけない、悲しい状態なのである。

共感は、もともと一〇〇人くらいの協力集団の仲間のための感情と、割り切ったほうがよいだろう。それ以上の人々と共感しても、妬みや同情がつのるばかりであり、現状の改善にはつながらない。さらに共感が強く、他の動物までとも共感してしまえば、肉も魚も食べられなくなってしまいかねない。

日本文化では、人の気持ちを推し測ることが美徳とされている。確かに、言外の意図を敏感に察知することは、コミュニケーションを円滑にする。しかし、共感を過剰に高めると、苦労が絶えない。相手の気持ちがわかってもどうしようもない場合もあるし、共感してもその共感がつねに正確なわけではない（第1章のウソ検出実験の成績を見よ）からだ。

たとえば、友人の表情から悲しみを読み取って「あなた今、悲しんでいるでしょ」と言っても、友人が悲しいと自覚していない場合がある。共感が強いと「無意識に悲しんでいるんだ」と友人に指摘しがちであるが、悲しみの共感自体が誤っている可能性もある。この誤りは〝オセロの誤り（エラー）〟と呼ばれている。

オセロとは、シェークスピアの有名な悲劇の主人公で、オセロが妻の不貞を確信したがために、本当は不貞を働いていない妻を信じることができずに、殺してしまう。ところが、殺害後に自分の確信が誤っていたことに気づくが、後の祭りというお話にちなんだものである。

共感の強さは良いことばかりではない。ウソをウソとわかるのは長所かもしれないが、ホントをウソと思ってしまえば大問題の〝オセロエラー〟である。ウソにだまされているくらいが、ちょうどいいのかもしれない。悲しみを共感した相手が「悲しんでない」と申告したら、共感よりも相手の申告を尊重するなど、共感を適度に使う態度を身につけるのが理想だろう。

## †共感の利点と欠点を天秤にかけよう

本章では、「共感に訴えるフェイク」について解説した。人間関係のなかでは、相手の気持ちに共感することが大切であった。相手の状況を察知して助け合ったり、皆と同調して一致団結の作業を行えたりする利点があり、協力集団の円滑な運営に貢献してきた。ところが現代では、旧来のような密な人間関係を伴った協力集団が少なくなってきた。

親密な関係と思って相手に共感しても、その相手は軽い知り合い程度の関係と思っていることも少なくない。それでは、とても助け合いの関係には至らない。そればかりか、親密な関係と思わせて高価な商品を買わせる営業活動や、良いことばかり言ってお金を借りて逃げる結婚詐欺などが発生する。「共感に訴えるフェイク」が横行しやすい構造が現代社会にあるのだ。

共感には確かに、新たな人間関係や協力集団を築く力がある。しかし他方で、人々の共感を利用しようとする人やビジネスも現れる。そうした利点と欠点をしっかり認識し、共感を発揮するにふさわしい状況を見きわめる必要がある。たとえば、政治家が演説をするのを見て、「なんとなく楽しい、わくわくする」などと共感したら、「いや待てよ、政治演説なのだから」と、共感による魅力部分を割り引いて考えるのがよい。

このように、共感を発揮したら「これにつけ込んでくるフェイクはないだろうか」と、適度な反省をくわえておくことが、「共感に訴えるフェイク」に対抗する方法となるだろう。

情報メディアが発展した昨今では、共感にまつわる問題がさらに深まっている。リアルな人間関係が薄くなればなるほど、私たちはネット上に共感を求め、仮想的な協力集団を求めようとしてしまう。これがフェイクニュースの蔓延を招く間接原因のひとつになっている。

次章では、言葉がもつ印象がフェイクを容易にした背景を解説する（第3章）。リアルな人間関係が薄いネット上では、言葉の問題が先鋭化する。そして、誤情報に触発されて結びついた人々が、正義感から意図せずにフェイクニュースを流布（第6章）したり、それが架空の協力集団の一体感へとつながって（第7章）いったりするのである。

第3章

# 言語が助長したフェイク——想像の果たす役割

## †言葉がもつイメージを利用せよ

かつて私の家に、贈答品として入浴剤の詰め合わせが送られてきたことがある。「別府の湯」「草津の湯」「箱根の湯」などと書かれた袋に入浴剤が入っており、風呂に溶かすと、それぞれ異なった色と香りで温泉気分が味わえる。ところが、「別府の湯」の袋の裏側を見ると、小さな字で「本品は別府温泉を再現したものではありません」と打消し表示（第2章）が記載されている。「実際の温泉とは無関係なんだ」と思うと、温泉気分も半減してしまった。

「別府の湯」は、日本有数の温泉地域である「別府」を商品名に組み込むことによって、商品イメージを高めている。「実際の別府温泉はこんな感じなんだ」と思いながら入浴する消費者は、まんまとだまされたことになる。

その後、実際に別府を訪れてみると、別府温泉の泉質が多様であることがわかった。別府では、街のあちこちに湯けむりがあがっており、硫黄の臭いも随所で感じられる。温泉は高温の水がどんな岩石層を抜けて地上に達しているかによって泉質が決まるので、別府のように多数の源泉があると、場所ごとに色も臭いも、そして肌触りもさまざまなのであ

る。これでは、別府温泉を再現しようにも、どの泉質を再現したらよいのかわからない。

別府温泉が多様であると知っていれば、「別府の湯」という表示を見たとき、「あれ、別府のどこの泉質を指しているのだろう」と疑問をもったにちがいない。知識があるとフェイクにだまされにくいことも、こうした事例でよくわかる。

もうひとつ、知識があるとだまされにくい例をあげよう。商品をPRする広告によくみられる「特許取得」である。

特許とは、ある企業が開発した新製品を、別な企業がまねして生産して利益をあげることを一定期間防止する制度である。新製品の開発には通常多額の資金が必要なので、新製

品を一定期間独占的に販売して開発資金の回収を認める仕組みになっている。こうした制度がなければ、企業はリスクのある新製品開発に躊躇(ちゅうちょ)してしまい、社会の発展が阻害されてしまう。特許には、企業同士の公正な開発競争を促す目的があるのだ。

企業同士の開発競争を促す特許が、なぜ消費者向けの広告に記載されているのだろうか。それは、特許庁が新製品としての価値を認めたときに、特許が取得できる仕組みになっているからである。そこで、広告主は「特許取得」という言葉で、「特許庁が認めたすばらしい新製品」というイメージを消費者に抱かせようとするのである。

ところが、特許庁が認める「新製品として

の価値」は多様である。消費者は購買にあたって「商品の性能がよい」ことを判断基準にするが、特許で認められる価値は「企業における価値」であり、商品性能に限らない。たとえば、「安く作れる」「早く作れる」などの製造方法に関する価値でも特許がとれる（製造特許と呼ばれる）。

広告に「特許取得」という文言を見たら、特許番号が書かれているので検索してみるとよい。私が調べた範囲では、半分以上が製造特許であった。商品性能に関する特許もあるにはあるのだが、「それは消費者が求めている商品性能ではないのでは」と疑問に思うものばかりが目立った。

たとえば、健康維持に貢献するはずのサプリメントの特許が、「成分がもつ臭いを減らす方法」であった。水と一緒にすぐに飲み込んでしまうサプリメント成分の臭いが減っても、消費者が期待する価値には遠く及ばないだろう。

また、広告でよく見かける「○○賞受賞」も同様である。おいしいお菓子を探して「○○賞受賞」を見つけても、その賞が商品パッケージのデザインコンテストの賞であったならば、おいしいお菓子を見つける手がかりにはならない。何に与えられている賞なのかに注意を払う必要があるのだ。

「別府の湯」も「特許取得」も、言葉がもつ意味合いの多様さを利用したフェイクである。広告主は、ウソや法律違反にならない範囲で消費者を惑わす言葉を使い、首尾よく消費者が思惑に沿った誤解をしてくれるのを期待しているのだ。こうしたフェイクに対抗するために、本章では言語がもつイメージ作用の歴史的意義を認識したうえで、個々の言葉がもつイメージが人々のあいだで多様に変化している現実を理解していく。

**†言語の発達がウソを容易にした**

言語の意義を探ることにも、ヒトと動物の比較が役に立つ。すでに前章で、ヒトが他者の話を信用するのは、たがいに協力関係にあるからだと述べた。私たちは、他者が自分に有益な情報をもたらしてくれると思うからこそ、他者の話に耳を傾けるし、より能率のよい情報交換の手段である〝言語〟を身につけてきたのである。

動物行動学の研究では、古くからチンパンジーなどのヒトの近縁種（大型霊長類）に言語を学ばせる試みがなされている。初期の試みは失敗に終わったが、それは言葉を発声する仕組みが大型霊長類に未熟であることが原因であった。今日では、研究者と一緒に生活する中で〝絵文字〟を使った会話を訓練すれば、「主語＋動詞＋目的語」の簡単な文なら理解できることがわかっている。

大型霊長類でも協力関係の中で生活するようになれば、かたことの言語を身につけられるので、言語獲得に協力関係が重要であること、大型霊長類が前言語レベルの知能を有することは明らかになった。けれども、その言語学習の効率は、ヒトに比べ非常に低い。つまりヒトは、言語に必要な協力性や発声機能などの諸機能を、かなり高度に整えた状態で生まれてくると言える。それらの諸機能は、ヒト特有の生活に必要だったがゆえに、ヒトだけに進化したのである。

マイケル・コーバリスらは、言語が現れる前のコミュニケーションはジェスチャーなどの〝身ぶり〟で主になされていたと主張している。大型霊長類の発声機能が未熟であることから、声よりジェスチャーのほうが使いやすかったという可能性は高い。

そこで、ジェスチャーから言語に発展するところで何が起きたかを考えてみよう。言語が生まれることによって、表現の幅が広がった反面、ウソがつきやすくなったのである。

たとえば、「このあいだ私はマンモスをとってきた」ということを伝えるのに、初期段階では、とってきたマンモスの立派な牙を掲げて〝マンモス〟を理解させていただろう。それが、〝マンモス〟に相当するジェスチャーが生まれ、牙を掲げなくともすむようにな

った。

確かに、ある特別なジェスチャーが〝マンモス〟を意味することを知らせるときには、そのジェスチャーをしながら、マンモスの牙を指さすような段階があっただろう。それが、マンモスの意味が集団内に浸透すると、「マンモスの牙」のような証拠が必要ではなくなってくる。証拠がなくとも何かを伝えられるという方法は、ウソを容易にするのである。

さらに、言語はウソを気軽な行為にしてしまった。「このあいだ私は昆虫をとってきた」というジェスチャーは、〝マンモス〟のときのような大きくて重たい雰囲気とは異なり、小さくちょこまかとした雰囲気だろう。両者を混同することはまずない。

ところが、音声言語〝マンモス〟に対して、昆虫の音声言語が〝モス〟(英語で蛾を意味する)だったらどうだろう。〝モス〟と言うべきところをうっかり〝マンモス〟と言い間違ってしまうことがあるにちがいない。話し手は、聞き手が自分のことを尊敬のまなざしで見ているることを不思議に思い、「何か変だな」とよく考えると、先ほど〝モス〟を〝マンモス〟と言い間違っていたことに気づく。後から訂正するのも格好悪いので「もうそういうことにしてしまおう」と思うのである。こんな経験をすると、「私は〝ンモス〟をとった」などと微妙な発音をして、聞き手が〝マンモス〟と聞き間違うことを意図して話すテクニックが生まれる。フェイクの始まりである。

このように音声言語が、ちょっとした発音の違いでさまざまに違った意味を表現できる便利な特徴をもつ反面、ウソやフェイクを容易にしてしまう実態があるのだ。

## †虚構を想像するサル

さらに言語は、もっと大きなウソに相当する〝虚構〟ももたらした。この過程も少し丹念にみていきたい。

言語の特徴は、今ここで直面している現実世界以外を表現できることである。つまり、

「丘の向こうにマンモスがいるぞ」とか、「去年雨が降ったあとにここにマンモスがいたんだ」とか、「また雨が降るとここにマンモスが来るにちがいない」などの、直面していない現在の推測、過去の想起、未来の予測を表現できる。言語がもつ時制や仮定法などがこれを可能にしている。

私たちは、発話文を聞くことによって、今現在は直接体験していない、現在・過去・未来の様子を、直接体験に準じるかたちで想像できる。だからこそ、自分自身は体験していない他者の多くの体験が、他者と共有でき、それらの過去の体験をパターン化して記憶し、未来に起きる事象を高い確率で予想できるのだ。これが、協力集団の作業効率を大幅に高めた。

人類が類縁のチンパンジーと大きく異なって、文明社会を築く道に進むことができたのは、前章までに述べてきた協力性と、本章に掲げる想像力をヒトが身につけたことが大きな基本要因になっている。両者が揃ったところで、言語の発展が急速に起きて、社会に知識の蓄積が起き、文明構築につながったのだ。

しかし、この想像力が高まったことによる弊害もある。もともと想像力は、情報が少なく不確実な現実を補うものであった。たとえば、「昨日は丘の東側にマンモスがいたが、今日は西側にマンモスがいる。夜のうちに移動したのだ。ならば、移動の経路あたりにワナを仕掛けたらマンモスがとれるだろう」などと働くのである。ところが、東側のマンモスと西側のマンモスは別なマンモスならば、「移動した」という想像は誤りであり、ワナ仕掛けは失敗である。

想像内容はあくまで現実に準じるものであり、確実な現実と思わないほうがよい。想像力が高すぎると、想像世界を現実のように思う弊害が生じる。

たとえば、三〇〇年前に起きた火山の大噴火の様子を人から伝え聞けば、身近なことのように感じ、経験の共有化ができる。これこそ、想像力のなせるワザである。ところが、大噴火が一〇〇〇年に一度程度の災害であれば、自分が生きるうえでは問題にならない。それにもかかわらず、大噴火を過度に心配してしまうことになる。これが高い想像力の弊害である。理想を言えば、現実から遠いありそうもない経験ほど、想像内容がぼんやりと薄らいでいけば便利そうだが、人間の想像はそうはなっていない。

火山の大噴火の様子を伝承することには利点があるものの、「それが起きると死んじゃうんだ」と想像すれば不安が高じる。そこで人間は、ファンタジーによる対処を発達させてきた。たとえば、「山を守る神様」を想像世界に登場させ、「その神様が頑張っている限りは大噴火しない」などという物語を作成し、それを想像した未来と重ね合わせて安心するのだ。

物語によって築かれた〝虚構（フェイク）世界〟の存在を、現実と同様に信じることによって未来への不安が軽減し、適度に現実と対峙できるのである。この役割を伝統的に宗教が果たしてきたことは、言わずもがなだろう。

一方のチンパンジーは、気楽なものである。自分の死期がせまっていても、動じない。長年チンパンジー研究を重ねてきた京都大学元教授の松沢哲郎は、研究仲間のチンパンジーであるアユムの死に立ちあった。アユムの病状は重く、もはや長くはないことを本人も明らかに悟っているのだが、明るくふるまっている。

これは人間の〝から元気〟とは異なる。松沢は、アユムは自分が存在しない未来世界を想像しないので悲嘆にくれることが少ないのだと、チンパンジー研究から判断している。逆に言うと、人間は想像力が高いからこそ未来に絶望してしまうが、想像力がゆえに物語が作成できて未来に慰みや希望も見出せる、ということだ。

良くも悪くも人類は〝想像するサル〟なのである。人間は、未来を想像して文明の構築に成功した反面、〝虚構〟を信じ合って広める習性をもってしまったのである。

## [コラム5] 呪いの言葉に効き目はあるのか

人と言い争いになると、思わず「くたばりやがれ！」などと口走る人が現れる。現代社会では暴力をふるうと犯罪になってしまうので、身体的な暴力の代替手段として〝言葉の暴力〟が使われ始めた。言われたほうの人も、ときには殴られたに等しい感情的ダメージを受ける。なんとか言い返したいと思っても、歯切れの悪いことしか言えずに押し黙っていると、相手は勝ち誇った表情を見せる。

このように、人間では言語が発達しているので、言語による戦いができ、身体的な戦いを減らすのに成功した。「立派な角」の代わりに、〝鋭い発言〟が「力のディスプレー」にもなってきたのである。しかし、暴力をふるうことがなくても、依然としてチンパンジーと同様の「支配と服従の関係」が陰で維持されているのであれば、さびしい限りである。

言葉に〝力〟があると言っても、それは私たちの想像力に支えられた「架空の力」である。それが証拠に「Damn you!（地獄に落ちろ）」と言われても、その言葉の意味を理解しなければ、なんの影響力もない。

私は中学生のとき、アメリカ人の子と遊ぶ機会に恵まれた。その子は、ふざけて「Damn you!」と連発するのがくせであった。何度言われてもその意味を連想できずに、私が平然としていたところ彼は、「Damn you!」は日本語で何と言うのか聞いてきた。私はうっかり、意訳して「バーカ」と教えてしまった。なんと、それ以降その子は、会うたびに遠くから「バーカ、バーカ！」と連呼するようになったのだ。

私も「日本語だと、意外にイライラさせられるものだ」と自覚し、「Damn you!」と同様に「バーカ」という言葉の意味を想像しないように努力したが、「バーカ」と言われると憤りが込み上げてくるのを防ぎきれなかった。本来〝言葉の暴力〟はフェイクのはずなのに、意図せずにそのダメージを受けてしまう事態を経験した。

では、「アブラカダブラ、地獄に落ちろ！」などという、陰で唱える〝秘密の呪文〟に影響力はあるのだろうか。右の議論のように言葉自体に影響力があるわけではないとすると、呪いを念じる人の怨念が、魔法のように相手に届くのであろうか。

どうも呪いの言葉の効果も、人間の想像力が鍵になっているようである。お百度参りなどの呪術では、「呪う相手がわからないところで呪術を行う」のが原則であるが、それでも「呪われている」という事実が相手に伝わったときにはじめて大きな成果を得るとされる。

もしそうであるならば、「呪われている」と知った人は、自分の想像の中で〝呪いの力〟を拡大させて、心身を病むのだろう。呪われた人は、あらゆる良くない事を〝呪いのせ

> い〟と解釈し、不安を高じさせ、怨念が相手に届いたかのような〝呪文の効果〟を生じさせてしまうにちがいない。

## ウソも皮肉も使いよう

虚構に相当するような大きなファンタジーは身近にないという方も、小さなファンタジーであれば日常生活の中でよく見かけるだろう。子どもを養育しているという方は、日常的に使ってさえいるにちがいない。

子どもがころんで痛がっているときによく行われる、「痛いの痛いのお空に飛んで行け！」というおまじないが、その一例である。痛みは心の内側で生じる感覚であって、物のように〝投げ飛ばせるもの〟ではない。それをあえて、物のように言葉で表現する方法である。それを「物象化」という。

人間は想像力が高まったといえども、他の動物と同じように現実世界に頻出する物理的な挙動のほうが理解しやすい。そこで、痛みを物象化して、現実にありそうな〝飛んでいってなくなるもの〟と表現し、子どもを説得するわけである。「あなたが今感じている痛みは、問題ないよ」と周囲の大人たちは考えているという現実を間接的に伝えることができ、その子どもは安心するのである。これは、ある種のウソであるが、言語表現の柔軟性を利用した巧みな方法であり、〝ウソも方便〟なのである。

しかし、大人からみたら〝ありふれたファンタジー〟であっても、子どもにしてみれば〝見えない現実〟のように感じられる恐れもある。「呪いで怨念が届く」とか、「死んだ人の魂が浮遊する」という現実があるかのように、信じ込む恐れもある（これらも物象化の事例である）。実際、幽霊の信念を世代比較した調査では、大人より子どものほうが信じる度合いが高いことが示されている。

ファンタジーの利用価値は高いが、ファンタジーと現実を混同する弊害にも気を配る必要があるだろう。先の例では、「痛みには、問題のある痛みと問題のない痛みがあり、問題のない痛みの場合には、こうやってファンタジーで紛らわすといいんだよ」などと、ファンタジーの効果を、ときおり子どもにさとすのがよい。

さて、「痛みが飛んで行く」という表現が可能な裏側では、言葉が多様な意味をもち得ることも幸いしている。「痛みが消える」ことを「痛みが飛んで行く」とも表現できるので、「痛みが飛んで行く」と発話しても、話し手は物象化しているわけではなく、聞き手が一方的に物象化しているだけとも判断できる。この場合、ある種の誤解が起きたことになる。そうであるならば、「子どもにウソを言ってしまった」という罪悪感が軽減されるのかもしれない。

私は、悪びれる様子もなく、たびたび授業に元気よく遅れてくる学生に対して、「いつも元気でいいね」と皮肉を言うことがある。当然、「体調が悪いわけでもないのに、いつも授業に遅れてくるのはよくないね」という意味なのであるが、本人はともあれ、周囲の学生は「遅刻が注意されている」と理解する。

なぜストレートに「遅刻はよくないよ」と言わないかというと、遅刻の背景に「学費が足りなくていつもアルバイトをしている」とか、「家族を介護している」などの個人的事情が隠れている場合があるからである。それを、「遅刻はよくないよ」と言ってしまうと、そうした学生は、個人的事情を皆に話すか、話さずにうっぷんをためるかの選択をせまられてしまう。

そもそも遅刻がよくないことは、学生は皆知っている。あえて言う必要もないことである。「いつも元気でいいね」という表現は、バイトや介護に頑張っている学生に対しては、文字通り励みに聞こえるのである。皮肉は、誤解を利用するという意味で、ある種のフェイクの利用と言える。

皮肉は本来、今ここで言うのはあきらかにおかしい発話をすることによって、聞き手に言外の意味を想像させる技術である。やんわりと伝える以上に、いろいろな事情がある聞き手側への配慮も可能である。いっけん便利なので、人によっては多用しているのだが、皮肉の理解には高い認知能力が必要で、理解の上での個人差は大きい。子どもの皮肉理解は、七、八歳以上になってから発達しはじめるとされている。

すると、皮肉を文字通りに受け止めてしまったり、理解できなかったりする場合の問題が生じる。そのうえ皮肉は、特定の文脈から外れると意味をなさなくなる。私の皮肉の例では、教室の場を離れて、「遅刻者を励ましている〝遅刻OK先生〟だよ」などとSNSで流されてしまえば大問題である。流している本人はジョークのつもりでも、受け取るほうはそう考えず、不真面目な学生が集まってくる。

皮肉は、対面コミュニケーションにおいてフェイクを利用するひとつの試みではあるが、間接的なコミュニケーションの場に持ち込まれると〝本当のフェイク〟になってしまう問題点が指摘できる（この話題は第6章でさらに深めていく）。情報メディアが発展している今日では、皮肉を多用するのは控えたほうがよさそうだ。

## †言語の切れ味の鋭さ

ここまで本章では、ひとつの言葉がいろいろな意味をもつことを示してきた。たとえば、「世界」という言葉で、「現実世界」や「想像世界」を言い表してきた。「世界」は他に、窓から見える「外の世界」や、地球上の国々が集まった「世界」なども意味できる。

このように言語のもつ「意味が広がる性質」には便利な面がある。「イス」という言葉で考えてみよう。「イス」という言葉が指し示すのは、たんに過去に見たことがある椅子の集まりではない。私たちは、過去に見たこともない斬新なデザインの椅子も「イス」と思えるし、山歩きで疲れた時に休憩する切り株も「イス」と言えるし、人形遊びに使うミニチュアの椅子も「イス」に見えるのである。「イス」が抽象的な概念になっているので、「イス」という言葉がいろいろな椅子を指し示せるのだ。

その反面、意味が広がることでだまされやすくなる。パーティで「今日の主役はそのイスに腰かけて」と促され、座ってみると、ひっくり返って皆に笑われる〝パーティ向けのジョーク仕掛け〟だったなんてこともある。

一方、言語には、「意味が広がる性質」のほかに、「意味を区別する性質」もある。これが、言語の〝切れ味の鋭さ〟につながるのだが、こちらにも、功罪の両面がある。物事の理解を進めると同時に、誤解を深める作用をもつのである。

たとえば本章では、「現実世界」と「想像世界」があることを論じてきた。哲学では観念論といって、「現実もまた想像に過ぎない」という両者を同一視する思想が伝統的にある中で、生物学の視点からは両者を区別する必要があると、あえて強く述べたのである。

その理由は、生物進化の歴史上の順番である。生物は現実の中で生きており、現実世界を優先して考える必要性が生じていた。あれこれ想像をめぐらす生物がいたら、いち早く食べられてしまっただろう。そのため、現実認識が先に強く進化し、未来予測をする余裕を確立した人間において、はじめて想像が高度に進化したのである。

　このように「現実世界」と「想像世界」は異なる由来をもった別の特性であるから、「〝山を守る神様〟は想像世界の存在であり、現実世界には存在しない」などと、両者を区別することに意義が生じる。この区別は、「現実世界」と「想像世界」という別の言葉を使うことで、両者は〝別物〟と的確に表現できる。

　ところが、この「言語の切れ味の鋭さ」は過剰に働いてしまいがちである。「想像世界」の始まりは、過去や未来の「現実世界」の想像であった。すると、「現実世界」とも「想像世界」とも言える中間段階があることになる。「言語の切れ味の鋭さ」によって、この中間段階が見失われがちになるのだ。

　よりわかりやすい例をあげよう。心理学では性格論争というのがある。「明るい性格」や「暗い性格」が本当にあるのか、という論争である（パーソナリティ心理学では外向性・内向性という概念で厳密に語られているが、この詳細には踏み込まない）。とかく私たちは、「あの人は明るい」とか「この人は暗い」などと、レッテル貼り（プロトタイプ思考と言い、第6章で議論する）をしがちであるが、そうした見方の有効性に疑問が呈されているのだ。

なぜなら、ふだん口数が少ない「暗い性格の人」が自分の趣味の話になると、雄弁に語り出して「明るい性格の人」になることもよくあるからである。

結局のところ、この性格の診断は質問紙で行われている。診断を受ける人は、「こんな場合はどうしますか？」と聞かれ、日常的な普通の場面を〝想像して〟答えているだけである。この日常的場面での行動傾向に限って、「明るい・暗い」が判定されており、確かにその範囲では「明るい性格寄りの人」や「暗い性格寄りの人」が特定できる。だが、これを「明るい性格」、「暗い性格」と特定することの意義はほとんどない。明るいと暗いの境界付近の人々も多いし、いずれにしても、つきあっている間にその人との関わり方がわかってくるからである。

ところが、「明るい・暗い」と区別して言い表す習慣が生じると、言語による単純化がおきる。それによって、その人の複雑な内面や、状況によって変わりえる臨機応変の行動傾向が無視されがちになる。「暗い性格」と特定することで、大切な人間関係の機会を失っているかもしれない。これが言語による単純化の弊害である。

私自身は「性格診断は一掃されてよいもの」と思っているが、性格診断には根強い人気がある。とくに昨今のように、人づきあいが希薄になり、大勢の見知らぬ人々とちょっとだけ関わるような生活形態になると、とりあえず相手が明るい人か暗い人かを知りたくなる。それを手がかりにして最初の関わり方を決めたいというのであれば、それもあながち否定できない。

ともあれ、言語の切れ味の鋭さを認識し、誤解を深めないよう留意すべきだろう。情報メディアが発展して人づきあいが浅く広くなると、言語による単純化の問題は、隠れたところで大きくなっているにちがいない。

## ［コラム6］ブランドとフェイクの緊張関係

言葉の価値が際立った事象にブランドがある。企業は、自社ブランドを立ち上げ、良い商品やサービスを安く提供して信頼を勝ち取る。そのブランドイメージを広告の力も借りながら、増進していくのである。

商品を買ったらすぐにその商品価値がわかるビジネスは別にして、商品価値がわかるまで長くかかるビジネス（レモン市場と言う）ではブランドの価値は絶大である。私が中古車販売を始めて、Riverstone（石川にちなんだ）というステッカーを貼って中古車を売り始めたとする。エンジンなどの内部状態のよい車だけを安く売り、事故車などは決して売らない。そうした姿勢で商売を続けていけば、「Riverstone の中古車は長く快適に乗れる」という評判が築かれる。Riverstoneという言葉に価値が生まれるのである。

しかし、Riverstoneに価値が出てくると、それをマネして中古車を売ろうとする別の企業が登場するかもしれない。これを防ぐのが商標の制度である。私が中古車販売を始めるにあたってRiverstoneを商標登録しておけば、他社が使用することを法律によって制限できる。ブランドの価値を築くには、たいへんな労力がかかるが、それをマネするのは簡単である。そうしたフェイクが増えてしまうと、消費者も良い状態の中古車を探せずじまいになってしまうので、それを防ぐ社会制度である。

しかし、年老いた私がブランドごと会社を誰かに譲渡すると、状況が変わるかもしれない。譲渡を受けた人のビジネスは少しルーズで、若干状態が悪い中古車も売ってしまう態度だったとしよう。それでも、Riverstoneブランドの信頼で、状態のよくない中古車もしばらくは売れるだろう。新しい社長も、売り上げが保たれて消費者の要求を満たしていると誤解するかもしれない。消費者は、旧来のRiverstoneブランド商品よりも低い価値の商品を知らずに買っているだけなのだ。フェイク商品をつかまされていることにも相当しそうである。

こんな状態が続くと、会社の現状改革は後手に回り、ブランド価値は毀損(きそん)されてしまう。そうなれば、同じブランドでの再出発はとても困難になる。

一般に、ブランド価値が高まれば、消費者の過大評価も起きる。やや低い価値の商品もブランドイメージに乗じて売り上げがのびる。けれども、それを続けていれば、ブランド価値の低下が遅れてやってくる。ブランド価値はすぐには数値に反映されないので、要注意である。優秀な経営者は消費者の意見を集め、「フェイクをつかまされた」と消費者が思ってはいないかと、常時ブランド価値の把握に努めているのだ。

## †言語の限界を見きわめよう

本章では、言語がフェイクを助長する面について議論した。人間は、想像力を身につけ、言語を発達させてきた。今ここで直面している現実とは異なる現実を言い表すことに成功し、未来の現実を改善する方法を見出せるようになった。文明社会の発展は、こうした人類の英知によってもたらされたのである。

その一方で、言語はウソやフェイクを容易にした。言葉を発するだけで、現実にはない偽りの想像を相手に抱かせることが簡単にできる。自分は正当な発言をしていると見せかけて、聞き手の誤解を利用しただましも横行している。いわば、言語がウソの進化を加速したのである。

この言語のパワーは、架空のファンタジー世界をありありと想像させるほど、絶大であった。現代社会が法治国家として、憲法や法律の条文のもとに多様な人々が統率されている事実にも、このパワーの大きさが見てとれる（第7章）。しかし言語は、物事をぼんやりと柔軟に表現できたり、逆にきっぱりと表現できたりする利点がある反面、予想外の事物を表現対象に含めてしまったり、大事な事物の存在を隠してしまったりする欠点がある。たとえば「彼は明るい性格だ」と誰かに告げられるだけで、彼の印象ががらっと変わるようでは、言語によるフェイクの餌食だろう。自分で直接判断できるまでは、伝聞による印象は強く受け止めずに保留しておくのがよい。このように、言語の限界を認識して、適切な態度をとることが求められている。

さて、言語のパワーは内面世界までに広がっている。「自分は明るい性格だ」と思うことで元気が出るのは、その証（あかし）である。次の第4章では、この手の自己欺瞞について考える。言葉の問題が先鋭化したネット上では、社会の様子を想像することと、自分の内面の不安を調整する欺瞞があいまって、フェイクニュースの蔓延が起きやすい（第6章）。ときに、それが架空の陰謀論の信奉へとつながっていく（第7章）のである。

# 第4章

# 自己欺瞞に巣くうフェイク——承認欲求の暴走

## †酸っぱいブドウと甘いレモン

イソップの寓話に「キツネとブドウ」というお話がある。一匹のキツネがたわわに実るブドウの房を木の枝に見つけ、なんとかとってやろうとジャンプする。何回か挑戦してみるが、とても届かない。あきらめたキツネは、「あのブドウは酸っぱいに違いないや」と言い捨てて、毅然とした態度で去って行くという物語である。

このキツネは、自分のジャンプ力が弱いために「甘いと思われるブドウ」を取ることができないという現実を受け入れずに、「酸っぱいに違いない」と無理やり思いこもうとしている。物語は、ウソの想像によって悔しさを紛らしたり、他者に弱みを見せない行動をとったりする滑稽さを指摘している。

もちろん、実際のキツネはこのような行動をとらない。想像力が低いので、「酸っぱいに違いない」と無理やり思いこむことはできないし、他者が自分をどう見ているかを考える社会性もそれほど発達していない。だから、お話を読んだ人間が、「キツネなんだからしょうがないよね！」とひとしきり笑った後で、「実はこのキツネは人間を象徴しているんだよ」と気づかされると、その嘲笑が自らへと返ってきてしまい、ギクッとさせられる。

その意味で「キツネとブドウ」は、ある種の〝恐ろしい寓話〟とも言えるのだ。

人間には、自分の弱みを隠し、自己肯定感を高めようとする本性がある。他人に弱みを見せないようにするだけでなく、自ら弱みを自覚しないように意識から遠ざける傾向までもがある。そうして築かれた自己肯定感によって自信が生まれ、奮起できるのであるから、この傾向はあながち軽んじられない。

しかし、その結果、人間は自己肯定につながる情報に対して敏感になりやすい。その事実には注意が必要だ。たとえフェイクニュースであっても、せっせと情報収集して自己肯定に利用してしまう。ときには、情報を拡大解釈して、無理やり自己肯定につなげることさえある。

こうした自己肯定感を無理やり高める行為を「自己欺瞞（ぎまん）」という。いわゆる「自分だまし」であるが、人間が生活していくうえで、欠くことができない心理過程になっている。

これが本章のテーマである。

「キツネとブドウ」のお話にちなんで、自分が得ることができないものを過小評価する心理機構を、心理学では「酸っぱいブドウ」と呼ぶ。想像力を駆使した〝理由づけ〟によって心の安定を維持する仕組みで、心理的な防衛機制のうちの「合理化」のひとつとされている。

反対に、自分が得ることができたものを過大評価する心理機構もあり、「酸っぱいブドウ」に対して、ときに「甘いレモン」とも呼ばれる。酸っぱいはずのレモンでさえも甘く感じるという強烈な表現で、私たちの「合理化」の強さや根深さを的確に指摘している。

「甘いレモン」の現象がよく見られるのは、高額な買い物をしたときである。買ったものは〝いいもの〟でなければならない。金額に見合わない悪いものをつかまされたとなれば、悔しさが膨らんでしまう。

その心理がよく現れるのが、広告の閲覧行動である。たとえば、高価な車を買った人は、

買わなかった車よりも、買った車の広告をよく見ることが知られている。広告には、いかに〝いい車〟であるかが重ねて記載されているので、自分が買った車の広告を見れば、「いい車を買ってよかった」と自己肯定が進む。その一方、他の車の広告を見てしまえば、買った車にない性能の良さや、値段の安さがあらわになってしまいかねない。なるべく見ないようにするのが、平穏な心を保つのによいのだ。

同様の「甘いレモン」現象が、具体的な問題を起こすことも多い。たとえば、株式投資で値上がりを見込んで買った株が、意に反して値下がりをした場合だ。失敗を認めたくない投資の初心者は、値下がりしてもなお「いつかは上がる〝いい株〟に違いない」と思いこんで、持ち続けてしまう。

また、就職活動にたいへんな努力をして入った会社は、「〝いい会社〟に違いない」と思いこむ傾向もある。やめてしまえば〝たいへんな努力〟が水の泡になってしまい心の安定を損なうので、自己欺瞞の意義もある。しかし、会社が社員の離職を避けるために就活のハードルを上げているのであれば、「つらい就活もいい勉強になった」と合理化を働かせ、思い切って転職することも選択肢のひとつである。

このように、自己欺瞞は心の安定を図る大きな利点がある一方、現実を見失う欠点もある。本章では、自己欺瞞が横行する背景を探り、適度な自己欺瞞を発揮する方法を考えていく。

## †自己肯定によって集団の一員になる

右に述べてきたように、人間には自己肯定感を高めようとする気持ちがあり、それが自己欺瞞の原因となっている。ここではその気持ちの由来を探っていく。

恐怖や愛情が、動物の時代に由来する感情であるのに対して、自己肯定感やそれを維持したいと思う気持ちは、主に狩猟採集時代に形成されたと考えられる。第2章で議論したように、狩猟採集時代は五〇人から一〇〇人くらいの固定的な協力集団で一生を過ごしていた。ある集団に生まれれば原則一生その集団で生きたのであるから、当然、集団の一員として認められることが必要不可欠だったのである。

狩猟採集時代の集団では、密な協力が特徴となっていた。小グループに分かれて狩猟に出かけ、とれた獲物は皆で分けて食べる。木の実が熟す時期になれば大勢で採集に出かけ、集めた木の実もまた分配するという生活だったようだ。仕事を効率的に進めるために、集団のメンバーには役割分担があったにちがいない。たとえば、腕力が強い者は狩猟のときのやり投げ担当、目が利く者は捕食動物が襲ってこないかを監視する採集時の見張り役、といった具合である。

こうした集団では、そこに生まれ育つ子どもが「何が得意で、何の仕事をうまくこなしてくれるか」をいち早く見きわめて、その仕事を担当させるのがよい。逆に、子どもの側からすると、自分が得意であることを認識して、担当できる仕事を申し出るのがよい。うまく仕事ができて大人たちから認められれば、早々と大人の仲間入りなのだ。

この協力集団の環境が、私たちに特有の感情や欲求を進化させたのである。「自分には集団に欠くことができない仕事を担当できる力がある」と思う自己肯定感、そうした仕事を担当できるとアピールして、周りの人々からの承認を求めようとする欲求である。任された仕事をうまくこなすことができれば、最後に達成感と満足感が得られるわけだ。協力集団に属することが生き残るうえで不可欠だった時代ならではの事情が、私たちの行動を方向づけたのである。

この一連の過程に〝フェイク〟が侵入してくる。「仕事を担当できる力はいまひとつだな」と自分でうすうす思っていても、「担当できる」と意欲的にアピールしてしまうのだ。すると、周りの人々も「そんなに言うのなら」と、〝フェイク〟にだまされたつもりになって任せてみる。その結果、いくぶん失敗を重ねるかもしれないが格好の練習になり、一人前になるまでに仕事が上達するのである。

こうして、〝フェイク〟が本当になっていく。これは「予言の自己成就」と呼ばれ、私たちがときどき達成の難しい目標に挑み続けるときに使うテクニックである。

たとえば、難しい課題に挑戦するときに「一カ月で跳び箱一〇段跳んで見せる！」などと、周囲の皆に公言することがそれにあたる。いったんアピールした事柄は、達成する社会的な責任を伴う。達成できなければ、「口先だけの奴だから、信用するのはやめておこう」と思われてしまう。その責任感から、なんとしても達成しなければという意欲が湧き、

つらい練習も続けられるのだ。

よく考えると、この課題挑戦を始めるには、「自分には、跳び箱一〇段跳べる素質がある」と信じる必要がある。素質がある根拠が何もない状態でも、それを漠然と信じなければ始まらないのである。これが自己欺瞞の必要な理由である。

協力集団にはいろいろな仕事があり、それぞれの仕事をこなす人を誰かに割り当てなければならない。普通に考えれば、やったこともない仕事には自信が持てず、やりたくないと思うのが当然である。しかしそれでは協力集団は成り立たない。

私たちは、集団の長老の「君なら大丈夫。絶対できるから、自分を信じるんだ」という言葉に共感して、自信を持てるようになり、協力集団形成に成功してきた。さらに私たちは、自分自身を鼓舞して、未知の仕事でも率先して挑戦できるほど、自己肯定感を高く維持できるようにも進化した。その背景では、自己欺瞞が一役買っているわけだ。本心では「できそうにもないな」と思っていては意気込みに欠けてしまうし、大人たちから本心を見透かされてしまう。心から「できそうだ」と思う自己欺瞞が必要だったのである。

### †自己欺瞞にまみれた私たち

自己欺瞞が現代でもきわめて一般的であることは、次のような肯定的なスキルを問う質問の回答からも明らかになっている。たとえば「あなたの親切さは平均以上ですか」とか、「あなたは平均以上の速さで歩いていますか」などと質問した結果を集計すると、平均以上と回答する傾向が七割以上になる。

平均は五割なので、二割以上の人々が、平均未満にとどまっているはずなのに「自分は平均以上である」と答えていることになる。これを楽観的な人々が集まる村が登場する作品にちなんで「レイク・ウォビゴン効果」と言う。

現代社会の生活は狩猟採集時代とは大きく様変わりしている。それでも私たちが自己欺瞞の習慣を維持しているのは、どのような理由からだろうか。

　前節に述べたように、狩猟採集時代に自己欺瞞が必要であった理由は、協力集団の一員として受け入れられる承認欲求からであった。考えてみると、かりに協力集団の一員として受け入れられれば、自己欺瞞の必要性はそれほど高くない。抜きん出た成果をあげるとアピールしなくとも、自分の実力は周りの人に知られているし、そもそも協力集団内ではある程度の食べ物は分配されるので、抜きん出た成果は必要ないのである。また、年をとれば、若者に仕事を譲っていくものであるから、見栄を張る必要もない。

　こうしてみると、文明社会では狩猟採集時代のような密な協力集団が希薄になっていることに思い至る。基本的な生活を支える協力集団が周囲になければ、狩猟採集時代のような形では私たちの承認欲求は満たされない。よく言う「居場所がない」という状況はその承認欲求不全のひとつの現れだろう。そこで現代では、お金を稼ぐことで基本的な生活を支え、何らかの人間的なつながりを築くことで別途承認欲求を満たしているようだ。

　ところが、お金を稼ぐことが個人的な営みになっている文明社会では、周囲の人々との競争関係が生じやすい。すると、「自己肯定感を高めてアピールし、周囲の承認を得る」という一連の活動が、旧来は協力集団の一員になるための成人への過程であったものが、現代では、一生を通じての仕事上の活動原理となりがちなのだ。一流の企業経営者になるには「ハングリー精神を持って挑戦し続けよ」と言われる背景には、市場原理にもとづく現代の文明社会が、狩猟採集時代の成人化パワーを必要としている実態がかいま見える。これでは、生涯にわたって「自己欺瞞を保って、根拠の薄い自分の能力を主張せよ」と言われているようなものである。

とくに、「自尊心を高めよ」「アイデンティティを確立せよ」というスローガンには、気をつけたほうがよい。どちらも、不必要に自己欺瞞を高める負の効果がある。

自尊心が高まれば、自分には能力があると信じられ、自信がつくのと引き換えに、スキルを磨く努力がおろそかになる（「コラム8」参照）。アイデンティティが確立すれば、自分の行動スタイルが固定化するのと引き換えに、新しい状況に合わせていく気概がおろそかになるのだ。

アイデンティティや自分らしさは、もともと生まれ育った協力集団へのアピール材料であった。「自分のできる仕事はこれ」と表明して承認を得る手段であり、仕事のスキルを磨く責任を伴った小さな自己欺瞞の発揮でもあった。

ところが、協力集団が希薄になった現代社会では、むしろ複数の集団に所属して、いろいろな人々と関わる生活が奨励されるようになっている。こうした状況でアイデンティティを模索すると、どの集団に所属する自分も自分らしく思えず、集団と関わるそれぞれの自分が仮の演技をしているように感じられる。現代では、アイデンティティを維持するには、集団ごとの数多くの自己欺瞞が不可欠になり、混乱して自分を見失ってしまう。もはやアイデンティティの確立に固執しないほうがよさそうだ。

### [コラム7] お祈りをしたくなるのはなぜか

私たちが意欲的に生活するには、自己肯定感とともに、自己効力感を高める必要性がある。ネズミに電気ショックを与える実験では、たびたびの電気ショックによっておびえさせたネズミに、電気ショックを止める方法を学習させたところ、おびえ状態から一転して生き生きとした状態になることが観察された。神経伝達物質も恐怖に関係したアドレナリンに代わって、高揚感に関係するドーパミンの分泌が増えることが確認されている。

この実験では、電気ショックの量が同じでも、電気ショックのタイミングを少しでも自ら調節できることで、恐怖という否定的な感情が、それを克服したという肯定的な感情に変化しうることが示されている。

ネズミに限らず人間も、悪い状況が少しでも〝自分で〟改善できるという自己効力感が、生活において不可欠な要素のようだ。私たちの自らの生活をふりかえってみても、それは納得できることだろう。

さて、前述したように、自己肯定感は「自分には能力がある」と自己欺瞞で思いこむことによって高まる。一方で、自己効力感は「自分が事態を変えられる」と（実際には事態を変えられなくとも）、これもまた自己欺瞞で思いこむことによって高められる。

うまく自己欺瞞できれば、良い事が起きたときは自分が優秀だから必然であると考え、悪い事が起きたときは他人のせいかまたは偶然であると思いがちになる。これは社会心理学で「帰属理論」として研究されており、人間に普遍的な思考傾向であると見なされている。

では、悪い事ばかりが続いて、良い事がなかなか起きないときに、人間はふさぎ込まないよう、どのような対処がとれるだろうか。

それには、〝世界を支配している神〟を登場させるとよいのだ。そして、神への祈りによって良い事が起きると信じれば、自己効力感が生じる。自分の祈りが、神を通じて良い事をひき起こしたという効力感を形成できる。

ひき続き悪い事が起きたらどうしたらよいか。もうおわかりのように、祈りが足りないとひたすらに祈るか、現在の悪い状態が〝神によって与えられた試練〟であり、それを乗り越えると〝神からの祝福〟が得られる、などとすればよいのである。

このように考えると、宗教の社会的な役割は大きく、一概に否定できない。「〝神の御業〟などは幻想にすぎない」と否定する人は、自己効力感の高い恵まれた人で、祈りの意味を理解していないだけなのかもしれない。現代では祈りは陰りを見せているが、自己効力感の低い人々が祈りの代わりとして、ネット上に自己効力感が達成できる場を求めるのは、しごく自然な行為である。すでに、ネットゲームなどでそれが起きているに違いない。

## †正直者は〝うつ〟になる？

前述したように私たちの多くは、自分自身の能力が平均以上であると思う傾向がある。そしてそれは、単なる想像上の思いこみだけでなく、欺瞞行為（いわゆる「ずる」）としても検出されている。

行動経済学者のアリエリーが行った「知能テストのような問題を解かせる実験」では、半分の人々には用紙の下部に解答が書いてある練習用問題文を配布して自己採点してもらい、もう半分の人々には、解答が書いてない本番用問題文を配布して採点を実験者が行った。すると、前者の自己採点グループの平均点がかなり高かった。意図的に点数をかさあげしたか、それとも意図せずに誤って正答としてしまったのかわからないが、ある種の「ずる」があったのは間違いない。

そこで追加実験では、自己採点した後に「次に同じような本番の問題を解いてもらうが、そのときの得点を予想して合っていたら報酬を与えられる」という条件提示をした。ところが、依然として自己採点の得点にもとづいて次の本番問題の得点を予想したのである。自己採点に生じた「ずる」の分を減じて得点予想をしたほうが、報酬を得られて利益になるのにもかかわらず「ずる」は自覚されなかったのだ。それほど自己欺瞞は、根深く私たちの本性に刻印されているのだろう。

しかし、自己欺瞞の程度には、個人差がある。自分の能力が正当に評価できるのは、どのような人々だろうか。研究の結果、〝うつ〟の傾向のある人は、自分の低い能力を正当に低く評価できることが判明している。自分の低い能力を正当に評価してしまったから〝うつ〟になったのか、〝うつ〟の傾向になったから自己欺瞞が働きにくくなったのか、よくわからないが、たぶん両方なのだろう。

また、この〝うつ〟の傾向には、平均的な男女差がある。うつ病は女性が男性の約二倍多いのである。もちろん、特定の個人をとりあげて、性別からうつ病のなりやすさを推定する実用的な意味はないのだが、統計的な傾向としては興味深い。

というのは、この傾向が生物学的な男女差と関連づけて説明できるからである。

生物学的にメスには限られた卵子を大事にする行動が、オスには大量の精子をばらまく行動が進化することが知られている。とくに哺乳類では、メスが授乳などの養育に携わる期間が長いので、オス同士の配偶者をめぐった戦いが起きやすい。戦いに勝ったオスは、多くのメスと配偶する機会に恵まれるので、オスに一発勝負するハッタリ行動が発現しやすい。一方のメスは、戦って敗れてしまうよりも自分の子どもを着実に育てるほうが、次世代を残すのに有利であるので、一発勝負する利点がほとんどない。

その結果、一発勝負する行為も欺瞞的な「ずる」も、男性に多く現れがちと帰結できる。心の安定を図る自己欺瞞も、平均して男性のほうが、あまり気にせずにできるということも不思議ではないのである。もう少し詳しく言うと、こうした認知行為の差は、男性ホルモンのテストステロンの量である程度まで決定づけられている。

ハッタリ屋の男性が一発勝負して、幸運にも勝ち残った者がチンパンジーのボスのように君臨し、正直者の女性がうつになってふさぎ込んでいるのだとすれば、なんともやりきれない。私自身は、社会制度を変えて、自己欺瞞をする必要の少ない社会を築いていき、自己欺瞞をしなくとも、心理的な不安定をきたさない状況をつくりたいと思っている。

さて、現状の社会的状況において、自己欺瞞を必要な行為として認めたうえでも、行き過ぎた自己欺瞞の奨励には、大きな問題がある。「ポジティブシンキング」と言って、何事も〝いいように〟考えようという運動があるが、成功に向けた努力の芽を摘んでしまうおそれがある。

フォーサイスらの実験では、成績のふるわない学生を二つのグループに分け、片方のグループには、「学校のほとんどの人よりも優れている」などの自己肯定感を高めた人ほど成績が上がったというメールを、他方のグループには、「もっと勉強する必要がある」などの自己効力感を高めた人ほど成績があがったというメールを送り続けた。すると、前者よりも後者のグループの成績が向上したのである。「才能をほめるよりも努力をほめよ」という教育指導の原則を裏付ける結果となった。

それにポジティブシンキングの運動がさかんになると、自己愛傾向（ナルシシズム）を正当化して、増長させるおそれがある。自己愛が極度に高まると、自分への批判を攻撃ととらえて他人に暴力を加えたり、自分が評価されない原因を〝社会のせい〟ととらえて反社会的行為を発揮したりする。

私なら、ポジティブシンキング運動に代えて、適度な自分だまし運動を推進する。自分には才能があると思って努力するが、その思いが間違っている可能性も少しあると考えておく。もしも間違っていた場合には、こんどは別の才能があると思いなおして、別の分野で努力を続けるのがよいだろう。

---

**[コラム8] ほめられるのが怖いインポスター**

教育の現場では、「生徒の学力は、ほめて伸ばせ」とよく言われる。ところが、優れた成績をあげている人が、ほめられると不安になる場合がある。そうした人は、優れた成績は自分の実力ではなく、自分はその成績によって「他人をだまして自分が有能だと思わせているだけなのだ」と感じているようだ。

自分は〝できるふり〟をしているだけだと思うこの症状は「インポスター(詐欺師)現象」と呼ばれ、〝できる人〟という仮面がいつかはがされるのではないかと、戦々恐々とした不安状態を形成してしまう。本当のところは〝できる人〟であるので、誤った自己査定をしていることになる。

インポスターであると、才能を買われて活躍の場の提供を申し出られても断ってしまう。

---

自分は活躍などできないと思うからである。しかし、周囲の人々は、そのうらやましい申し出を拒否する理由がわからず、人間関係の悪化につながる。

インポスター現象は表面的には、日本文化によくみられる「謙遜の美徳」のようにも映る。「謙遜の美徳」は、真に〝できる人〟が集団の和を乱さないようにするために、あえて〝できないふり〟をする、ある種の自己欺瞞である。自分は〝できる人〟なのだけれど「〝できないふり〟を装っている」と自覚していれば心理的に健康でいられるが、この自己欺瞞を自覚しないようになると問題が生じる。〝できないふり〟が、事実に反する〝本当にできない〟という認識に変わり、インポスター現象に突入するのだ。

自己肯定の欺瞞が無意識になったうえで、さらに肯定感が増大すると、実力の伴わない自己愛者（ナルシシスト）になるおそれがある（前述）。その反対で、「謙遜の美徳」という自己否定の欺瞞が無意識になったうえで、さらに否定感が増大するとインポスターになる危険性があるということだ。

どちらにしても適度な自己欺瞞の発揮が肝要なのだが、そのためにも罪悪感を高めずに、自己欺瞞をある程度自覚しておくのがよい。あるいは、自己欺瞞はふだん忘れているが、反省するときには自己欺瞞に気づくといった、柔軟な意識作用が大切なのである。

### †親切は評判づくりの手段

先に、多くの人は自分のことを「平均以上に親切だ」と思っていると指摘した。ここでは、その親切さに注目して、自己欺瞞がフェイクを生む過程をみていこう。

まず、親切さの起源を把握しておく。これについても狩猟採集時代に由来する。

狩猟採集時代では、周りの他者を助ける親切さは協力活動に必要であった。周囲の人々は基本仲間であるので、自分が誰かを助ける一方、自分は誰かによって助けられるのである。相互の助け合いが、協力集団の作業効率をあげ、皆が生き残ることに大きく貢献したのである。また、助けられるばかりで、他者を助けられるのに助けない人は「協力関係のタダ乗り」である。そうした人を集団から排除することによって、集団の規律や掟（おきて）を守っていたと考えられている。

それに対して現代では、人口が増えて状況が変わってきた。密な協力集団は減ってきて、代わりに、仕事に応じてパートナーシップを組むという形態が多くなってきた。それまで同じ集団に属している人は信頼できるという協力関係から、個別に人を見て協力する必要が生じた。過去に一緒に仕事をした経験がある人であれば、信頼をおしはかることもでき

るが、まったく新しい人とパートナーシップを組むにはどうしたらよいのだろうか。親切そうに見えても、ことによると助けてもらうばかりの「タダ乗り」かもしれない。

この信頼の査定に役に立つのが、評判なのである。

たとえば、Pさんに助けてもらったQさんは、友達のRさんに「たいへんお世話になったPさんは、とても信頼できる人である」と紹介するだろう。するとRさんは、「Pさんは信頼できる人であるから、一緒に仕事をするとよい」と思うだろう。Rさんがさらに、Pさんを友達のSさんにも紹介するかもしれない。こうして次々とPさんの評判が高まるのだ。

狩猟採集時代のように、直接の助け合いが少なくなっている現代では、この評判による間接的な助け合いが重要になる。PさんはQさんを助けたけれど、その後QさんはPさんに恩返しする機会がないという場合であっても、Pさんの評判を高めることによって、友達のRさんやSさんがPさんを助ける機会が生まれるのである。

さて、評判の有用性が理解できたところで、フェイクが侵入する余地について指摘しよう。当然ながら、友達の紹介ならば信用できる情報であっても、見知らぬ他人の紹介ならばそれほど信用できない情報である可能性が高い。それならば、見知らぬ他人からの情報は受け付けないとしたほうがいいのだが、そうもいかないのである。

現代では、さまざまな新しい仕事を企画する必要がある。新しい仕事ほどビジネス・チャンスにもなる。そうした新しい仕事に必要な情報は、友達の範囲では十分に得られないことが多いのだ。友達は一般に同じような知識を持っている仲間であるので、友達から得られる情報のバラエティは自ずと狭くなる。そこで、見知らぬ他人からの情報を得て、〝評判の高い人〟とパートナーシップを組む必要性が出てくる。

こうした〝評判の高さ〟には、フェイクが紛れ込む。「協力関係のタダ乗り屋」がその実態を隠して築き上げた、〝架空の評判〟かもしれないのだ。

昔ながらの人間関係で言えば、多くの人々に親切にしておき広く評判を高めたところで「タダ乗り」するというのが悪事の常套手段であったが、これはこれでかなりの手間がかかった。ところが、昨今では、SNSを通じた気軽な自己アピールが可能である。誰しも自分の情報発信を〝盛った〟経験があるだろう。これでは、工夫すれば、誰であっても〝親切で評判の高い人〟に仕立て上げられる。

前章で述べた「言語による単純化の問題」とあいまって、現代の情報メディアでは、あたかも客観的な評判があるかのように、自己アピールができる方法が増えている。ネット上のマッチングサイトでは、信頼のおける評判が形成されるように苦心しているが、フェイクの排除対策は十分ではない。そのため、パートナーシップを組む場合には、フェイクである可能性も含んだ対応が必要となる。相手の評判を鵜呑みにせずに、相手の実態を段階的に確認していくのがよい。

### †SNSで承認を求める

本章では、適度な自己欺瞞を働かせることが生活上必要であると述べてきた。伝統的な協力集団において安心を得るためには、自己肯定感を高めて集団の承認を求めることが必要であったからである。しかし、現代社会では、こうした伝統的協力集団は失われつつある。にもかかわらず、私たちの安心を求める感情や欲求は、依然として昔のままなのだ。

この状況のもとで、ＳＮＳなどの現代的なコミュニケーションの場がしばしば、安心を求める感情や欲求の発露の場になっている。「いいね！」がいっぱい獲得できたり、多数のフォロワーがついたりすれば、情報発信による自己肯定感が高まる。ところが、どんなに数字が増えても協力集団のメンバーとして、承認されたことにはならない。ただ、承認されたような気がして、承認欲求が一時的に満足されるだけなのだ。

旧来のマスメディアであっても、自己アピールや承認を求めようとする政治家や専門家のフェイク発言が目についたが、一般市民が気軽に参加できる現代の情報メディアでは、なおさらこの手のフェイクは数を増している。情報の発信源をつきとめたら、そこに自己アピールや承認の動機が隠れていないかを判断するのがよい。また、自ら情報発信する場合は、承認欲求のあり方についての自己分析をしたのちに、適切な内容を誤解のない表現で行う態度が大切である。

では、いわゆる〝専門家〟が自己アピールのための〝盛った発言〟をしているかどうか、どのように識別したらよいのだろうか。次の第5章では、科学的方法を知っておくことが、こうした識別に有用である実態を議論する。また、さまざまな議論を選択するときには、本章で触れた「自分の一貫性を維持したい」などの、私たちの隠れた心理的動機が影響しやすい（第6章）。ときには、架空の協力集団を想定した仲間意識がフェイクニュースの拡大をもたらすこと（第7章）もある。本書も後半に入り、だんだんとフェイクの全貌が見えてくる。

第5章

# 科学の信頼を利用したフェイク——未来予測の限界

## †事前事後比較のわな

もうかれこれ一〇年以上前のことである。同じ学会に所属している先輩研究者が「リラックスに最適な寝具」という雑誌の広告に写真入りで掲載されていた。その先輩は脳波の研究者で、企業やメディアの脳波測定依頼を断らずにひき受ける活動的な科学者として、学会でもよく知られていた。

しかし私が見るに、残念なことにその雑誌広告では、科学者の権威や科学の信頼性が結果的に企業に利用されていた。先輩研究者が大学教授であるとか工学博士であるとかの表示がなされ、「権威ある科学者がこの企業の寝具をオススメしている」と見える。まさに第1章で触れた、肩書や服装で信じ込みやすくなる「白衣効果」を利用した事例である。

さらにその雑誌広告では、あろうことか、科学的な実験で確かな証拠が得られているという、科学の信頼性の偽装が加わっていた。〝リラックス効果〟を示唆するデータが掲載されていたのである。

そこでは、当の先輩研究者が測定したデータで、寝具の上に横になった被験者の脳波中のアルファ波成分が上昇したことが示されていた。アルファ波とは、リラックスしたとき

に顕著に出現する脳波であり、リラックス状態を調べる指標として定評がある。ここまでは科学的な問題はない。

ところが、測定データの解釈が「事前事後比較」になっていた。寝具を使う前と後でアルファ波成分の量を比較し、「上昇しているのでこの寝具はよい」という判断が広告に暗示されていた。それは〝科学的ではない判断〟であり、言ってみれば、科学の信頼を偽装したフェイクなのである。

私自身もアルファ波を測定してもらったことがあるが、横になっていようが座っていようが、一〇分ほど静かに深呼吸をしていると、アルファ波成分は上昇してくる。つまり、寝具を使用しなくとも、リラックスができればグラフの数値は上昇するのだ。事前事後比較では、他の要因の影響を排除できないので、科学的とは言えないわけだ。

本来ならば、従来売られている典型的な寝具と効果の相互比較をしなければならない。あらかじめ多くの実験者を集めておき、事前に同じ程度のアルファ波が出ている被験者をペアにして、一方の被験者は従来の寝具に寝かせ、他方の被験者は新製品の寝具に寝かせて、アルファ波の上昇具合を双方で比較するのだ。そのような対策がとられていないデータは、科学的な信頼性がなく、製品の評価には使えないのである。

さらには、被験者によるバラツキを排除するために、従来の寝具に寝かせる被験者を対照群、新製品の寝具に寝かせる被験者を実験群として、多数の被験者を両群にランダムに割り当て、測定結果を統計的に群どうし比較することが学術的には行われている（ランダム化比較対照試験と言う）。

先輩研究者は、測定のうえでは一流の科学者であったが、親切にも企業やメディアの求めに応じて測定をしてあげたばかりに、不注意にも広告に利用されてしまったのだ。もっと科学と社会のかかわりに敏感であってほしかったと思うのだが、実験や研究に明け暮れていると、そうした社会的な状況には鈍感になってしまうのだろう。

本章では、こうした科学的な信頼性の偽装がいかに蔓延するのか、そのフェイクの背景を明らかにして、対策方法を模索していく。
科学的な信頼性が偽装される背景では、人々が「科学の成果を利用しよう」と過度に思うことが主要原因になっている。たとえば、ニュースで「八〇歳以上で健康なお年寄りは〝朝散歩〟をしている」という見出しがあったら、どうだろうか。もとのデータは単なるお年寄りの生活実態調査でしかないものが、ニュースの見出しになると、「年とっても健康で長生きするために〝朝散歩〟をしましょう」というオススメに見えるのである。
生活実態の調査データであれば、「健康なお年寄りが〝朝散歩〟をしている」傾向が見えるのは不思議でも何でもない。足腰に問題を抱えているお年寄りよりも、そうした問題を抱えていない健康なお年寄りは散歩ができるので、〝朝散歩〟の頻度が高いのは当然である。

自分は若者なので、そんな年寄り向けの健康法にはひっかからないと思う方には、次の事例を考えてみてほしい。かつて、資格試験の参考書に「資格取得者の八割が使っている参考書」という帯が巻かれて販売された。「この参考書で勉強すれば資格試験に合格しやすいな」と思うのではないだろうか。

じつは、この参考書は景品表示法違反で政府に摘発された、実際にあった事例である。「資格取得者に調査をしたところ八割が使っていた」というデータにもとづいた表示と思いきや、さにあらず、なんと摘発に先んじて求められた裏付けデータが示せなかったのである。出版社は、根拠もなく適当に八割と称していたようである。

ここで問題としたい点は、八割に根拠があるかないかではなく、八割が正しいとしても「この参考書で勉強すれば資格試験に合格しやすいな」と思うのは錯覚である点だ。もし資格試験の不合格者にも調査したデータもまた〝八割が使っている〟だったら、どうだろうか。「この参考書で勉強しても資格試験の合格率に影響しない」と論理的に判断できる。

たんに皆が買っているにすぎない流行(はや)りの参考書というだけだ。

このように、科学的なデータは本来、合格者と不合格者の両側の調査が必要であり、科学的な解釈は、両者の比較にもとづいた理論になっている必要性がある。本章では、こうした科学的方法をふまえたうえで、市民一般が科学の成果を利用するうえでの留意点も考えていく。科学の成果に関しては、フェイク判定は比較的容易になっている現実も指摘される。

## †科学とはパターン化による未来予測法

科学は、文明発展の原動力である。農業や工業は科学によって支えられ、文明的な生活は農業や工業の発展によってもたらされた。人類がこれほど繁栄したのは、食料増産に成功し、医学や薬学の発展によって健康が守られるようになったからである。人々が科学に信頼をおくのは、その実績からして当然のことだと考えられる。しかし一方で、信頼しすぎる問題もある。科学の限界を考えあわせたうえでの適切な対応が望まれる。

科学に対する妥当な見方を築くには、科学的な考え方はどのように発祥したのかを把握しておくことが大切である。これについても、狩猟採集時代にさかのぼれる。

狩猟採集時代は食べ物が少なく、狩猟や採集を協力して行っていたことは前に述べた。採集の対象は主に木の実と根菜であっただろう。それらが熟す時期になれば大勢で採集に出かけたのだ。そのとき、遠目に見れば実り具合がわかる木の実に対して、イモなどの根菜は地中にあり、適切な時期に掘り出すのがなかなか難しい。

しかし、何度か成功と失敗をくり返している間に、規則性のあるパターンが見出せる。「花が咲き終わり、茎が枯れ、三昼夜してから掘り出すと最もおいしい」などの、法則が発見できるのだ。もちろん、植物の種類や、その年の天候の状態によってもバラツキがあるが、かなり有効である。またやがて、半分だけ掘り出して、残りは次の年のためにとらずにおくなどの知恵も見出したにちがいない。

この手の知恵は協力集団の資産になる。やみくもに掘り出す集団は食べ物を失って絶滅してしまったのに対して、知恵を引き継げる集団は食べ物を確保し続けられた。私たちがそうして生き延びた集団の末裔であることは言うまでもない。

このように科学とは、経験の中からパターンを探し、未来を予測して生き延びるのに適切な状態を作り出す方法である。確実なパターンを発見できれば、法則として有用な知恵になる。長年使われてきた知恵ならば、その集団のみんなが信じる常識となるわけだ。

ではどんな知恵ならば有用なのだろうか。未来をうまく予測できる普遍的な知恵のほうが、より貴重であった。たとえば、ある地域でイモの隣に別の植物が自生しており、その植物の赤い花が咲くと、イモが食べごろになったとする。その地域に生きる私たちの祖先は、「赤い花が咲いたときにイモを掘る」という知恵を伝承したにちがいない。

ところが、獲物を追って別の地域に移住すると、そこではイモはあるが、赤い花の植物は自生していないかもしれない。「赤い花」の知識は地域限定で普遍性に欠け、使えないことになる。いつまでも「赤い花」の知識を持ち合わせていると、フェイクに惑わされている人たちになってしまう。

また、未来予測だけでなく、未来をコントロールできる知恵はさらに有用である。「イモの葉に光が当たっていると、より大きなイモが育つ」と発見できれば、日陰を作ってしまっている石をどけるなどの作業をすれば、大きなイモを得られる。今日の私たちは、葉に含まれる葉緑体が光のエネルギーを使って、二酸化炭素と水から養分を作っているという科学的知識を知っているが、最低限〝使える知恵〟になっていればよいので、「太陽神がイモの葉に祝福を与えるとイモが大きくなる」という形式でもよいのである。

迷信のように見える形式の知恵であっても、私たちの祖先の経験がぎっしり詰まっていることがあるので、フェイクとして一刀両断で廃棄するのは考えものである。

以上で述べたように、科学は生活上有用な知恵から発祥している。そのため「科学の知恵」を「科学の体裁をもったフェイク」と見分けるには、それが未来を予測したり未来をコントロールしたりできるかという有用性の点から判断するのがよい。これが科学的思考の本質である。

## †過剰生産される理論

経験から見出されるパターンは、再三確かめられて確実に使えることがわかれば、〝法則〟と呼べるほどになる。しかし、実際のところ理論は、それほど確実でない段階を長い間たどっていくものである。それを確かめるのに時間がかかるからである。科学界では、不確かな段階のパターンを〝仮説〟と呼んで区別する一方、少しでも確実さが見込まれると〝理論〟と呼んでいる。つまり、〝理論〟は、少々不確かなものからかなり確実なものまで、信頼性が多様な状況になっている。

理論における信頼性が多様な状況が、フェイクの蔓延に関係している。もう一度、人のイモ掘りの事例で考えてみよう。

まず、何も経験的なパターンを探そうとしない人は、理論をもたずに適当にイモを掘ってしまう。それでは、偶然を超える確率でイモを掘りあてることはできない。一方、理論をもってイモ掘りに臨む人は、理論のよし悪しは別にして、少なくとも偶然かそれ以上の確率でイモを掘りあてることになる。適当に掘るよりも、理論を考えてからそれに従って掘るほうが有利なので、人はどんどん理論を考えるようになったのだ。

そのため、複数の理論が並立するようになる。「茎が枯れてから三日後」「赤い花が咲いたとき」「東の空に流れ星が三つ落ちたとき」などなどである。これらの理論はその後の検証作業によって、確実さの優劣がつけられる。たとえば、「流れ星が三つ落ちたので掘ってみたが、大きなイモは得られなかった」という経験により、流れ星理論は信頼性が低いと判断していくのだ。

この検証作業は一筋縄ではいかない。先に述べたように、地域によっては「赤い花が咲いたとき」が有効に働くので、その理論が他地域では信頼性が低いことは明るみに出ない。また、イモ掘りならば毎年できるが、大地震などのめったに起きない災害の場合、ほとんど検証ができない。過去の経験から、「東の空に流れ星が三つ落ちたときに大地震が起きる」と理論化されても、それを反証する機会がなかなかないのである。

この事情により私たちは、多くの理論が並立する状況に直面しやすくなるのである。理論はもともと、信頼性に関して優劣があるものだ。そして科学は、その優劣判断の手がかりを集めて公開しているので、それに従って理論を取捨選択すれば大方よい。ところが、その知見は一般市民になかなか伝わらないのが現実である。

加えて私たちは、理論の優劣を科学的な手がかりによって推し測るよりも、もっと手軽な理論選択方法を身につけてしまっている。それは、「自分が理解でき、使える理論がいい理論」である。これがたびたび問題をひき起こすのだ。たとえば、前述した「葉緑体の養分作成機構」と「太陽神の祝福」という理論を比較すると後者の方が直感的に理解しやすい。どちらも、イモの成長に使えるのならば、〝理解しやすい理論〟が好まれる。

一方、本章の冒頭に述べた〝朝散歩〟や資格試験参考書の例では、〝使える理論〟への拡大解釈が起きている。〝朝散歩〟をする（原因）と年取っても健康である（結果）とか、その参考書で勉強する（原因）と資格試験に合格する（結果）とかの、因果関係を示す理論として解釈されている。

本来、因果関係を示す理論は、使える理論かどうかをチェックできる理論なので、信頼性の判断のうえで〝筋のいい理論〟なのである。つまり、〝朝散歩〟をする人としない人で年取っての健康度を比較するとか、当該の参考書で勉強した人と別の参考書で勉強した人で資格試験の合格率を比較するとかをすれば、科学的に理論の信頼性が判明する。

しかし、一個人でこうした実験をすることは不可能であることもあいまって、「すでに有効と判明した理論」と誤解して、多くの市民がその誤った因果関係に従って、〝朝散歩〟を始めたり、当該参考書を買いこんだりしてしまうのである。

私たちには、生活を改善するために、どんどん理論を作って確かめるという姿勢が進化した。理論を確かめる作業には人々の協力と時間が必要であるため、文明社会では科学の営みの形で、その仕組みを確立した。ところが、確かめる作業が済んでいるかどうかは、現代でも一般市民には必ずしも明らかではない。そのため、確かめる作業が済んでいると誤解させるフェイクが蔓延しやすいのである。

### [コラム9] なぜ車酔いをすると嘔吐するのか

私は小さいころ車酔いがひどく、タクシーに乗ると一〇分ほどで気分が悪くなり、下車して座り込むほどであった。我慢して乗り続け、嘔吐して車内を汚したこともたびたびあった。では、なぜ車酔いをすると食べた物を吐くのだろうか。車と嘔吐の間に何の関係があるのだろうか。

これは、人間が「毒を食べた」と誤解した反応を起こすからである。

車酔いというのは、車の速度変化によって身体が前後左右に動かされ、身体の平衡感覚が混乱する現象である。この平衡感覚の混乱は、毒を食べたときにもたびたび生じる。現に、たとえばフグ毒がもたらす症状には「運動麻痺」と「嘔吐」がともに記載されている。つまり人類は、毒に対する防衛反応として毒を吐き出す「嘔吐」を進化させたのである。

このような防衛反応は、毒を食べた(原因)ので平衡感覚が混乱した(結果)のだから、嘔吐する(原因)と毒が排出されて治る(結果)という因果関係に相当する。進化の過程で実際に因果関係の推論がなされたわけではなく、たまたま適切な反応を身につけた個体が生き残って、その反応が多くの子孫にひきつがれただけだ。偶然のなせるワザなのだが、因果関係の重要性を認識させる事例である。

この毒に対する防衛反応は、文明の時代になって自動車が発明されてやっかいものになった。不必要に嘔吐が生じて問題となったのである。もし太古の時代から自動車があれば、不必要な嘔吐は生じないように進化していたのかもしれないが、私をはじめとした車酔いのひどいタイプの人間には、つらい状況になった。

現代では、車に乗っても平衡感覚が混乱しないように、ある程度訓練する必要がある。私の場合は、運転免許を取得したときにその訓練がなされたようで、以降は車酔いをすることがなくなった。

文明の時代は、生活環境の大きな変化が生じており、進化に組み込まれている反応ではうまくいかない部分が多くある。私たちは、理性的に推論して、対応できるような訓練を積む必要があるのだ。そのうちのひとつが、やみくもに信じてフェイクを蔓延させないよう、批判的な理性を働かせることである。

## †確証バイアスが信念を深める

私たち人類は、多くの理論を生み出してそれらを取捨選択することによって、発展してきた。未来を的確に予測し、いろいろな場面で使える普遍的な理論に価値をおいている。価値ある理論を見出すには、適切に理論をチェックしないとならない。科学では、それに向けた観察や実験、調査や分析の手法が開発されてきた。前述のランダム化比較対照試験はその典型的な方法である。

しかし、一般市民が独自にチェックしようとすると、思いこみによる問題が生じる。理論が正しいこと(確証)を示そうとしてデータを集める行為が起きやすい。これを「確証バイアス」と言う。

前掲の例で言えば、新製品の寝具のリラックス効果を調べるために、その寝具の使用前後の脳波をとるという行為である。本来は、その寝具を使わなかったときはあまりリラックスできないこと(反証)も確かめる必要があるが、その部分が無視されがちである。

人間においては、反証よりも確証がはるかに重視されやすい。それを明らかにする「ウエイソンの246課題」が知られているので紹介しよう。この課題は〝ある隠された法則〟を見つけるクイズであり、最初に「〝2-4-6〟はこの法則を満たす」と提示されている。このクイズに取り組む人は、適当な三つの数字を順に入力して法則を満たすかどうか問い合わせることができ、一〇回程度の問い合わせのうちに、法則が何であるかを特定

するのである。
私もプログラムを作成して学生に取り組ませてみたが、多くの学生は一〇回もしないうちに「法則がわかった」と言い出して、間違った法則を正しいと思いこんで申告していた。〝3-6-9〟、〝4-8-12〟と入力した学生は、「二倍三倍と増える」と、〝1-3-5〟、〝3-5-7〟と入力した学生は、「2ずつ増える」と主張した。中には、〝1-4-7〟、〝1-5-9〟と入力して「等差数列である」と、数学的な主張をする学生もいた。こうした学生の主張は、ことごとく誤りであった。自分の問い合わせに対して「法則を満たす」と返答がくるので、自分の仮説を確証して信念を深めてしまったのである。

246課題に隠された法則は「単に増加している数列」であった。授業で私は、次のように進行している。まず、法則がわかったという学生に手をあげさせ、「法則を満たさない」という返答が何回あったかを聞く。早めに手をあげる学生の多くは、「その返答は一回もなかった」と自慢げに言う。そこで、「あなたが見つけた法則はたぶん間違っている」とだけ告げ、「法則を満たさない」という返答が五回以上あったという学生が現れるまで待つ。その学生が現れたら、「あなたが見つけた法則は合っていますよ。何でしたか？」と尋ねる。その学生は決まって正解を述べるので、教室の一同が「なんだ、やられた」となり、けっこう盛り上がった授業になる。

246課題の「法則を満たす」という返答は確証であるのに対し、「法則を満たさない」という返答は反証である。「二倍三倍と増える」と仮説を立てた時点で、その反証である〝1-3-5〟を入力してみるとよい。「法則を満たす」という意外な返答がきたところで、「あれ、おかしいな」と、正しい法則に一気に近づくことになる。ところが、人間は一般に反証をしたがらないのだ。おそらく、「法則を満たさない」という返答を受けて失敗感が生じ、無意識的に控えてしまうのだろう。

では、人間はなぜ失敗を怖れるのだろうか。太古の時代から厳しい環境で生きてきた人類は、一度の失敗が生死を分ける環境で進化している。こうした、失敗を怖れずに挑戦していると早死にしてしまう環境であれば、失敗を怖れる感情が形成されるのも当然なのである。

ところが、文明の環境になって失敗が生死を分ける状況がほとんどなくなった（コラム2参照）。むしろ現代のビジネスの場では、失敗を怖れずに何度も挑戦したほうが、成功のノウハウが積まれ、大きな成功に近づいていくことがよく知られている。ある程度の失敗が奨励される世の中になったので、失敗を怖れる感情は、一転して不利になったのだ。

失敗については、前章の自己欺瞞も深く関係している。失敗をくり返していると劣等感が生じ、自分が小さく見える傾向がある。所属集団へのアピールもしにくい。そのため、小さな成功を着実に追い求め、大きなことへの挑戦が減ってしまうのだ。

また人間には、ネット上で自分の意見と同様の意見を探し求めて、それに同調すると気持ちがよいという傾向もある。フェイクニュース拡散の一原因とも指摘される。その傾向のある人は、失敗を怖れて自信を失っていることの現れかもしれない。自分自身を反省して、失敗しても再起できるという事実からくる自信を、ネット利用よりも先に形成するのがよいのだろう。

## ［コラム10］信頼のおけるAIとは？

近年のAI（人工知能）が大量データに依拠して高い性能を出せることは、よく知られている事実である。ところが、データに依拠しているがゆえに、AIの信頼性に優劣があることはあまり知られていない。

学生から「AIの知能は人類よりも賢くなるのでしょうか」という、怖れを伴った疑問が呈されたとき、私は「どのAIが」「どの性能において」人類よりも賢くなると懸念しているのかを問うことにしている。

まずは、身体能力で考えるとよい。オートバイは人間よりも速く走れるし、パワーショベルは穴掘りで、ドローンは空中散歩で人間よりも高性能である。機械の一部の性能が人間を凌駕しても、大きな懸念が表明されるわけでもない。機械は人間がコントロールするものだから、優秀ならば利用しようと思えるだけである。

次に知能であるが、AIの知能が人類よりも賢くなるのは、大量データがすでにあったり得られたりする分野である。大量のX線撮影画像からがんの兆候を見つけたり、将棋の対戦履歴データから効果的な指し手を見つけたりするAIは、すでに実用レベルにある。

しかし、考えてみると、大量のデータが偏りなく得られる分野はそう多くない。それに

ＡＩの開発にはそれなりに手間がかかるので、誰が開発の費用を負担するかの問題は大きい。企業が開発するのであれば、企業の思惑が働くだろう。企業に都合のよい確証データばかりが蓄えられたＡＩであれば、誤った根拠から「この商品の性能はよい」という判断結果を出すだろう。

つまり、今後ＡＩ技術が向上すれば、多様なＡＩが林立すると予想できる。同じ課題においても回答が異なるＡＩがさまざま存在するようになるだろう。そのとき判断のうえで重要となる観点が「誰が何のためにそのＡＩを開発したか」である。ＡＩの頼りなさが理解できれば、人類が特定のＡＩに支配されるような事態にはなりにくいことがよくわかる。

とはいえ、科学における信頼性を推定するＡＩには期待がかかる。科学においては、経験的なデータから理論を構築して、その理論が予測する結果に対して、確証と反証の両面から実験や調査を行ってデータによる検証が進められている。分析の結果から理論の信頼性が高まったり、逆に低まって理論が変更されたりする。これらの過程の多くの部分は、研究論文によって公開されているので、論文データをＡＩに入れて整理すれば、一見科学的と見える理論の信頼性をそれぞれ的確に査定できるはずだ。

世界の科学者の知恵を結集して、こうしたＡＩが作成できれば、フェイク情報の一部は科学的な信頼性がかなり低い情報であると、市民が自ら確認できる時代が到来するだろう。

### †人に合わせる社会がもつ弱点

狩猟採集時代の協力集団では、周りの誰から聞いても情報は似たりよったりだった。集団が生き続けるノウハウはある程度確立されており、それに従って行動することでなんとか生き延びることができるという社会であった。それは、集団の規律や掟を守るのにも貢献していたようである。このような状態が確立されると、自分でパターンを探して法則を見出そうとしなくとも、周りの誰かに合わせて行動すればなんとかなる。頭を使ってあれこれ考えるよりも、周りに合わせていればよいので、ある意味、気楽な社会になったわけだ。

チンパンジーの研究者であるヴィクトリア・ホーナーは、周りに合わせて行動する傾向がチンパンジーよりも人間できわめて高いことを実験的に示した。彼女は、穴が二つあいた黒い箱を準備して、ひとつの穴の奥に食べ物を入れ、もうひとつの穴の上に飾りをつけた。そして、人間の子どもやチンパンジーの前で、棒を使って箱から食べ物を取るところを実演した。

その手順は、最初に穴の上の飾りを棒でとり除く儀式めいた操作をし、その下の穴の奥を棒でつついて、次にもうひとつの穴に棒を入れて食べ物をかき出すというものであった。それを見た子どもたちは、その手順をなんなく覚えて、食べ物をゲットできた。一方のチンパンジーも、棒の操作はややぎこちないものの、手順通りに無事に食べ物をゲットできた。この状態が確認できたところで本番実験に入る。

ホーナーは、まったく同じ構造であるが黒くなく透明の箱も用意していた。こんどは、その透明の箱を使って、同じチンパンジーに同様の実験をしたところ、手順を繰り返すことなく、いきなり飾りのない穴に棒をさし入れて食べ物をとっていた。じつは、飾りの操作やその下の穴をつつく〝儀式〟は食べ物を得るには必要ではなく、食べ物のある穴に棒を入れるといつでも食べ物がとれる構造になっていた。透明の箱の場合、そのからくりが一目瞭然であったのだ。

一方、人間の子どもたちに対して透明の箱で実験をすると、チンパンジーの場合とは異なった現象がみられる。なんと、黒い箱の場合と同様の儀式的な操作を、依然として繰り返したうえで、食べ物をとり続けたのだ。

この実験結果は、人間の信念の偏りを明るみに出している。すなわち人間は、「儀式的操作は食べ物とは関係ない」という、一見してわかる物理的認識よりも、実演から察知される「儀式的操作も必要だ」という、社会的認識を優先した行動をとるのである。

科学的な装いをもったフェイク情報の伝播に、この現象が深くかかわっている。怪しい情報でも、それを真剣にオススメしている人が身近にいれば、その信念に同調してしまう。たとえ科学的な思考を使ってその情報にフェイクの可能性を見出しても、多くの人々がその情報を正しいと信じていれば、その行動に影響されやすいのである。

人間は、周囲の人々をまねて同調行動をとることによって、協力集団を形成し、集団の掟を維持できるようになった。ところが、まさにその傾向により、根拠の薄いフェイク情報を、それとは知らずに、蔓延させることになったのである。

狩猟採集時代ならば、迷信ばかりを信じた集団は現実の変化に対応できず、絶滅してしまっただろう。法則を見出す人が一定の割合を占め、その法則が大事にされる社会が維持されたからこそ、今日の私たちの文明が成立したのだ。皮肉なことだが、情報化が高度に進んだ社会が、その情報化ゆえに混乱に陥り、絶滅に向かう危険性がある。ここに現代の私たちが取り組むべき喫緊の課題がある。

## †科学者は理論を主張する

本章では、科学の営みをその起源から解説し、科学的に信頼性の高い理論にもとづいて今日まで文明が築かれてきたことを述べた。信頼性の高い理論は、研究論文や学会の議論によって時間をかけて次第に明らかになる。科学の装いをしたフェイクは、その学術の知見と照らし合わせれば、おおよそフェイク検出ができる。

しかし、学術の知見は一般市民に必ずしも的確に伝わらない。それはなぜだろうか。そもそも先端科学は、理論の信頼性がまだ不明確な段階にある。議論が重ねられて確実と見込める理論が確立してきた後（先端科学が成熟科学になった後）、商品やサービスが開発され、一般市民に届けられる。その意味では、科学界と一般市民は間接的な関係になっている。一般市民が科学と対峙するときは、成熟科学の着実な成果を目にした時であるので、「科学はいつも確実で正しい」と誤解してしまうのだ。

この構図が崩れるのが、新規感染症の蔓延などの予期せぬ災害時である。感染症の性質（感染経路や重症化メカニズム）や、ワクチンや治療薬の効果が不明確な段階にあるので、多くの理論が林立する。通常、こうした先端科学の段階にあるときは、科学者は学会では理論を主張するが、市民向けには理論を紹介しないものである。ところが、事態が急を要するので、市民が科学者に意見を求めてしまう。すると、科学者の見解が相互に矛盾したり、短期に撤回されるものが出てきたりする。〝確実で正しい情報〟を聞いたつもりの市民は混乱し、裏切られた気持ちになるのだ。

これでは、成熟科学の視点からして明らかにフェイクであることを科学者が指摘しても、そちらも信じられなくなるという、悲惨な状況になってしまう。「ワクチン注射にICチップが埋め込まれている」などのフェイクが、一時的にせよ、堂々と横行するのである。

では、市民はどのようなフェイク情報を信じて、他者に伝える傾向があるのだろうか。そのフェイク情報には、科学的であること以上の、人々を惹きつける内容があるにちがいない。次の第6章では、人々がどんな特徴の情報に惹きつけられやすいのかを詳述する。また、一部の潜在的な心理構造は、科学的であること以上に、強力なニュースの拡大動機となっている（第7章）。

第6章

# 誤解から生じるフェイク——行動選択の偏り

## †損失回避のための選択

二〇〇二年のノーベル経済学賞は、行動経済学の成立に大きな貢献をした認知心理学者ダニエル・カーネマンが受賞した。かねてより伝統的な経済学では、需要と供給のバランスのもと、人間の合理的な判断が発揮されて適切な価格が決まるとされていた。それに対して行動経済学は、人間の心理がかなり直感的に発動し、利益や損失の理性的判断に至る前に行動選択をしてしまい、しばしば不利益を生じている実態を明らかにした。

そのカーネマンらが行った実験事例のひとつを見てみよう（本書向けに文章表現を改訂している）。

**質問A**：あなたは賞金一〇万円が当たったと同時に、次のくじ引きに参加するかどうかの判断をせまられた。そのくじ引きでは二分の一の確率で一〇万円を追加支給される（賞金額は、くじに当たれば二〇万円、外れれば一〇万円になる）のだが、くじ引きに参加しなければ、追加金額は半額の五万円になる（賞金額は一五万円）。このくじ引きに参加するかどうか判断せよ。

**質問B**：あなたは賞金二〇万円が当たったと同時に、次のくじ引きに参加するかどうかの判断をせまられた。そのくじ引きでは二分の一の確率で一〇万円を賞金から徴収される（賞金額は、くじに当たってしまうと一〇万円、外れれば二〇万円になる）のだが、くじ引きに参加しなければ、徴収金額は半額の五万円に減額される（賞金額は一五万円）。このくじ引きに参加するかどうか判断せよ。

さて、あなたはくじ引きに参加するだろうか。質問Aのタイプでは大部分の人（約八割）が「くじ引きに参加しない」と回答し、質問Bのタイプでは大部分の人（約七割）が「くじ引きに参加する」と回答したそうである。私の回答は、両方とも「くじ引きに参加する」であって、逆回答にはならなかったが、質問Aでは、参加するかどうか少し迷った。

質問Aと質問Bは、双方の文章中の括弧の中身を読めば同じ内容なので、くじ引きに参加するかしないかの判断差異が生じるのは奇妙なことであるが、多くの人には差が生じる。読者にもきっと差が生じていると思われるが、まったく生じていないというあなたは、論理的かつ理性的な人なのかもしれない。その場合は友人に質問してみてほしい（その際は、

括弧内を除いた文章を読み上げたほうが、差異が出やすい）。

さて、よくよく考えれば同じ内容なのに、直感的に判断すると判断差異が生じる原因は、行動経済学では「損失回避の心理」にあると考えられている。

まず、最初に得られた賞金（Aでは一〇万円、Bでは二〇万円）が判断の起点（アンカーと言う）となる。人間は、獲得したものは自分のものであり、容易に他人には渡さない傾向がある（これを保有効果といって、行動経済学では、「獲得した」と思わせた物を売るときに比較的高い値段をつける傾向が見出されている）。

そして、その起点から、獲得金額が増えることを「利益がある」と考え、減ることを

「損失をこうむった」と考えるのである。その損失に対して、人間は強い忌避感を抱くのである。つまり、同じ金額でも利益を得ることよりも、損失をこうむることにショックが大きいのである。たとえば、押入れから五百円玉が出てきて「もうけた」と思ってポケットに入れたところ、外出中にそれを落としてしまったというとき、どう感じるだろうか。差し引き最初に戻ったとは思えず、損失によるくやしさのほうが大きく上回るのである。

この損失が見込まれるときに、人間は「なんとか損失を防ごう」という行動を発動しやすいのだ。典型的には、損失を減らすために一発逆転のリスクをとる行動を選びがちになる。その結果、質問Bでは「くじ引きに参加する」となりやすいのだ。一方の利益を得ると感じられる質問Aの場合では、リスクをとらず、着実に利益を確保しようと「くじ引きに参加しない」となりやすい。

損失回避や保有効果などの心理によって、下がり始めた株をなかなか売れない投資初心者の心理が的確に説明できる。人間は合理的な存在ではなく、感情や欲求に左右される動物的な存在であり、それが経済をはじめとした社会の動きに大きく影響している。

本章では、こうした人間の心理や行動傾向が、意外にフェイク蔓延の要因になっている実態を明らかにしていきたい。その手がかりとして、実際に起きたフェイク蔓延事件を見

てみよう。

数年前に、高速道路でのあおり運転が問題になったとき、あるネット炎上事件が起きた。この事件では、あおり運転を繰り返したドライバーが、最後に直接暴力をふるった様子があおられた車のドライブレコーダーに記録されていた。その記録によると、あおられて停車させられた車のドライバーが、あおった末に進路をふさいで停車した車から降りてきた中年男性によって一方的に殴られていた。さらに、停車した車からは、男性だけでなく女性も降りてきており、その女性が携帯で一部始終を平然と撮影している様子も映っていたのである。

この事件の焦点は、この女性のほうにある。

この暴力事件が広く報道された後、当の女性と似た別人が間違えられて、「あいつが悪者の一味だ」とＳＮＳでの炎上が起きたうえに、個人が特定され、批判やいやがらせが殺到したのだ。

この事件で生じた、まったくの事実無根の誹謗中傷行為に対しては、法的な措置がとられたが、同時に、フェイクが拡大して大きな〝情報の暴力〟になる事実も明らかになった。最初は、「ＳＮＳにＵＰされている写真が、ドライブレコーダーに映っている女性と似ているようだ」という単なる憶測が、ネット上でだんだんと「あいつに違いない」という確信を深めていき、住所氏名や勤務先を暴く〝ネット捜査のボランティア〟が結集されたのである。必ずしも悪意があるわけではない、ときには正義感にあふれた行動が、結果的にフェイクを生み、それを拡散した事実はフェイク問題の根深さを示している。

本章では、こうした憶測が確信に転じ、誤解からフェイクが蔓延していく背後に「損失回避の心理」などの、人間の基本的な感情や欲求が潜んでいることを明らかにしていく。そして、この行動傾向に言語やメディアの問題があいまって、今日のフェイク蔓延状況が作られたのだ。

## †生き残りをかけたギャンブル

まず、損失回避の心理がどのような事情に由来したのかを考えてみる。多くの動物は、厳しい生活環境のもとで生存競争を勝ち抜きながら生き残ってきた。そのため、幸運にも食料がある程度確保でき、基本的な生活が成り立つ状態になれば、保守的になるものである。なるべく損失を招く事態を回避して現状の生活を維持できれば、それで生き残っていけるからだ。へたに生活様式を変えてしまうと、むしろ不利な事態を招きかねない。

こう考えると、ある程度の文明的な生活を達成できている現在の人類が、おしなべて損失回避の心理を発動しているのは当然なのだ。

それに加えて、損失が避けられない場合に一転してリスクをとるようになるのも、生存競争上有利な戦略である。損失が生じるとハンディキャップを抱えてしまい、保守的になっているとそのまま〝じり貧〟になりかねない。どうせ生存競争に負けてしまうのであれば、ここは一発逆転の賭けに出るほうが、統計的に生存の可能性が高まるのだ。

現代でも、ビジネスの場で「ハングリー精神が大切」と言われているのは、こうした心理が私たちに潜んでいることを示している。ビジネスにおいても、小さな成功をおさめると保守的になってしまう傾向がある。それを避けて、〝このままでは会社を維持できる可能性は低い〟と積極的にイメージすることで、失敗を怖れずリスクをとるようになれ、大きな成功につながるという教えである。

次に、前節で述べた「別人の女性が炎上にあった事件」の根源に見え隠れする、人々の正義感の由来について考えよう。正義感の背景にも、損失回避の心理が見出せるのである。これについては、狩猟採集時代の協力関係の理解が鍵になる。

これまで再三述べてきたように、狩猟採集時代の協力集団では、集団の掟（おきて）を守ることが重要であった。抜け駆けして大きくなる前のイモを食べてしまう〝裏切り者〟は、罰して改心してもらう必要があった。〝裏切り者〟へ向けられた怒りや裏切り行為の糾弾は、正義感にあふれた集団思いの行動のひとつである。

よく考えれば、そうした〝裏切り者〟が放置されていたら集団の秩序が乱れてしまう。だから、集団のメンバーは損失を予期し、先んじて積極的な損失回避行動をすると言える。その際には、たとえ個人としての損失が見込まれても、いとわずに行動しがちである。正義感と勇敢さが合わさっているのは、そのためである。また、そうした勇敢な行動は、周囲を巻き込んでいく。〝裏切り者の根絶〟が集団の目的となっていくわけだ。

ネット炎上は現代の〝魔女狩り〟である。魔女狩りは、狭義には、中世に「魔女」と疑われた人々が数万人単位で処刑された現象をさすが、広義には、適切な法的な手続きをへずに私刑でリンチ殺人が起きる民衆現象をさす。私は中学生のときに、社会改革に燃える人々が内部でリンチ殺人を起こしていたことを知り、衝撃を受けた記憶がある（連合赤軍事件）。

現代社会では、誤解に起因する私刑リンチ殺人はありうることと見なし、社会的な懲罰の実行は客観的な証拠に基づく司法判断にゆだね、人々が独自に私刑をうんぬんすることは厳しく制限されている。それでも、被害を受けた人やその家族が〝加害者〟に怒りをぶつけたり、復讐心を抱いたりすることは是認される心情があり、個人の利益回復や集団の秩序維持を図る心理の一端が、たびたびあらわになっている。

つまり、ネット炎上は、集団の掟違反に対する私刑の実行ととらえることができ、魔女狩りにもさかのぼれる普遍的な集団的行為の一形態とみなせる。行動経済学が研究対象としているような、人間の心理の自然な現れと解釈できるわけだ。けれども、私刑実行を起こす協力集団が通常、密な人間関係を背景にしているのに対して、ネット炎上では不思議なことに、そうした確固とした集団が見られない。

こう考えると、ネット炎上に参加する人々には「想像上の協力集団」が想定されているという見方が有力になってくる。むしろ、ネット炎上に参加する人々は、身近な集団で協力活動する経験が薄いからこそ、正義感に駆られたネット上の運動に寄与したくなるのかもしれない。ネット上の〝犯人捜し〟に意気揚々と邁進することで、架空の協力集団にて承認欲求が満たされた気持ちになるという、倒錯した現状が透けて見えてくる。

### †確率の誤解が生む確信

ネット炎上事件で憶測が確信に至った過程では、正義感に駆られた集団行動で参加者が相互に確信を深めたわけであるが、その背景では、人間がもつ思考の弱点が影響している。それは確率に関する思考が不得手な点である。それによって、確率の低い憶測が、確率の高い確信に変わってしまうのだ。

認知心理学の分野でよく知られている、確率推定の誤りを明らかにする問題に取り組んでみよう。

**確率の推定問題**：いま致命的な感染症がはやっており、あなたが感染している確率が一万分の一であるとしよう。そのときあなたは信頼性が九九％の検査（感染したときの陽性判断の一％が、感染していないときの陰性判断の一％が誤り）を受けたところ、「陽性」と判断された。さて、あなたが感染している確率は何％か。

ほとんど確実な検査を受けたのだから感染はほとんど確実だ、と思われたのではないだろうか。しかし、感染している可能性はまだ約一％にすぎない。

一万分の一の事態が起きて感染していたときの陽性判断はほとんど正しい（九九％確実だ）が、一万分の九九九九の事態が起きて感染していないときに、誤って陽性判断（擬陽性）が出る可能性がこの一％、つまり一万分の一〇〇近く残っている。後者の可能性が前者の可能性の約一〇〇倍あるので、依然として感染している可能性はまだ約一％なのだ（一〇〇分の一しか間違うことのない検査だから、一万分の一の確率に一〇〇を掛け算して一％となった、と概算できる）。

一般に病気の検査は検出感度を高めており、擬陰性よりも擬陽性が出やすくなっている。そのため、確率が小さい病気の検査で陽性になったら、念のため別の検査機関でもう一度検査をするほうがよい。

さて、この感染症検査の話と、ネット炎上事件の類似性がおわかりだろうか。ネット炎上事件では、暴力をふるった男性の同乗者の女性と似た写真がSNSで発見され、それが本人かもしれないと憶測され、その後、本人だと断定された。断定されたところを見るとかなり似ていたのだろう。そんなに似た人がいる確率はどの程度だろうか。かなり低いにちがいない。

つまり、通常の私たちの交流の範囲では、そんなに似た人がいる確率はかなり低いので、〝似た人〟ではなくて「当の本人だ」と認識するのがよい。ところが、SNS上で多くの人々が写真を探せば、対象となる写真の数が莫大になるので、その中に似た人がいる確率は高くなる。そのため、似た人の写真が「当の本人」と誤認識されている確率のほうがかなり高くなるのだ。

このように私たちは、確率を考えて判断することが大の苦手である。狩猟採集時代は小集団の中で生涯をおくっていたので、大勢の人々の行動の成否を統計的に分析する思考を身につけてこなかった。そのため、選択肢が複数示されたときに、成功確率をあれこれ考えるよりも、直感的にこれだという好き嫌いのような判断に任せてしまう。好き嫌いの判断に迷うときは、身近な誰かに判断をゆだね、同調するのである。ところが、この行為は文明の環境にそぐわない。

また、判断は何らかの行動と組み合わさっていることが多い。似た人の写真が「当の本人」ならば、〝犯人捜し〟行動に出るが、そうでないならば行動に出ないという二者択一であれば、「当の本人」である確率が五〇％なのか四〇％なのかなどと、理性的に確率を細かく計算する必要はない。むしろ、多少の疑いが残っていても、誰かが〝犯人捜し〟行動に出ていれば、それに同調することによってその疑いが小さくなっていくのである。

このとき、言語の特性も誤解に一役買ってしまう。情報源では「似ている人がいる」という憶測から出発していても、受け手が「あいつに違いない」と思ってしまえば、「あいつが一味だ」などと発信しがちになる。いわゆる伝言ゲームで確信を深めていくのだ。このときの伝言に「似ている人がいるという情報から私が判断した」などという注釈が付いていれば、伝達情報はより正確なのだが、こうした注釈はほとんどない。

第2章で、「情報源を気にしない」という人間の特性に触れたが、それに加え、言語自体がもつ特性がさらに問題である。「あいつが一味だ」という発信自体が、発信者の自己判断による確信なのか情報源自体に由来するものかが、言語表現上あいまいになっている。すると情報の受け手は、情報の確実性をおしはかる難しい作業よりも、その情報によって具体的な行動をとるかとらないかの判断を先行させやすい。そのときに正義感や貢献したい欲求が背中を押すと、人間は容易に〝犯人捜し〟行動に加担するのである。言語があいまいなゆえに、伝達内容が確実化する傾向が生じるのだ。

### ［コラム11］「移民に犯罪者が多い」は幻想

かねてより、空き巣に入るなどの犯罪が起きたときに「容疑者として移民が逮捕された」と報道されると、「移民に犯罪者が多い」という誤った認識が起きやすいことが知られている。これは、第3章でも触れたプロトタイプ思考による典型的問題であり、損失回避の心理も影響していると考えられる。そこで、この誤認識の原因を探ってみよう。

まず、移民ではないふつうの住民が犯罪に走った場合、周囲にふつうの住民が多くいるので、「人間には善良な人もいればそうでない人もいる」という認識が再確認されるだけである。つまり、周囲に善良な移民が見当たらないときに、移民の犯罪報道によって「犯罪に走る悪者が移民の代表である」というプロトタイプ思考が刺激され、「移民＝悪者」となるのだ。この仕組みは、移民に限らず、少数グループが汚名を着せられやすいことの原因となっている。

反対に、報道によって「移民＝善良な人」となることがあってもよさそうであるが、そうはならない。その理由は第一に、報道の特性である。悪い事は法律に抵触したなどと明確な基準があるが、善い事は価値観が多様で広く報道すべき事柄かどうかが明確ではない。たとえば、移民が経営する店が繁盛して、店員が店の周囲を掃除してくれ、地域でたいへん助かっているのであれば、移民が善い事をしたと思えるが、報道に値するかどうかは微妙である。報道としては、もっと速報性のある事故情報などを優先するだろう。

第二の理由は、人間の損失回避の心理である。報道内容に損失回避の手がかりになる事項があると、人々は報道に注目しやすい。犯罪に走りやすい人の特徴や、事故が起きやすい場所の特徴がわかれば、事前に対応できる可能性が生まれる。報道側も、損失回避につながる情報が注目される傾向を利用して、事件や事故情報を流すことさえある。

そのため、報道の内容が「ある移民が犯罪に走った」であれば、「移民の大部分は犯罪者だ」と連想し、「移民を遠ざけると損失回避できる」と、誤った行動をとってしまう。移民排斥運動などを具体的に始めてしまえば、同調現象によって「移民＝悪者」という認識をますます広めてしまう。かりに移民の善い行いが報道されても、具体的な行動につながらなければ、人々の記憶にも残りにくいのだ。

本来、ある移民が犯罪に走ったのであれば、その背景をあぶり出す調査報道が期待される。多くの移民が厳しい状況を抱えているのではないか、それを改善する方法はないのかと、「悪者」という個人的特性ではなく、広く社会的な仕組みの問題を考えていくのが健全な思考だろう。

### †コミュニケーションがつくるフェイク

第3章で述べたように、私たちは言語によるコミュニケーションを重ねて文明を築いてきた一方、言語によってウソを容易にもしてしまった。さらに言語コミュニケーションが事実を伝えるというよりも、協力関係の中でオススメを伝えるという機能が高いことが問題を深めている。

たとえば、「あいつが犯人だ」と聞いて、「あいつが犯人である可能性が八割程度ある」という事実に関する陳述とは通常思わない。「おれはあいつが犯人だと確信しているから、一緒に糾弾の活動をしよう」などというオススメと解釈しがちなのである。

だから、同じ内容でも、言い方によって聞き手の受け取り方が大きく違う。次の二つの言い方を比較してみよう。

**言い方A**：新しい治療法で、発病者の三分の二を救える
**言い方B**：新しい治療法でも、発病者の三分の一は救えない

両者は実質、同じ内容と判断できるが、言い方Aは新しい治療法への賛成を求めているのに対して、言い方Bは反対を求めているように思える。このように私たちは、話し手の意図に敏感であり、その意見に従うか従わないかを判断する傾向がある。
さらに私たちは、集団の共有知識にも敏感であり、集団に順応すべく共有知識を素早く取り込む習性もある。それがかえって、フェイクに利用されることもある。

**言い方P**：身体にいい青汁を、おいしく飲む方法があるよ
**言い方Q**：青汁は身体にいいよ

たとえば、言い方Pは、一見したところ「おいしく飲む方法」をオススメしている。しかし、それと同時に、発話の前提に「青汁が身体にいい」が使われているので、「青汁が身体にいいのは疑いようがない共有知識である」という印象が作られている。言い方Pに

対して、「青汁が身体にいいのはそもそも不確実だよ」と応答するのは、コミュニケーションのルール違反のような感じがする。

その結果、「青汁が身体にいい」と直接的にオススメする言い方Qよりも、言い方Pのほうが、「青汁が身体にいい」という主張に対して批判が出にくい。こう考えると、「青汁が身体にいい」という説得をしたい人は、言い方Pを使うほうが効果が高そうだ。このテクニックを使っている広告のコピーを、私はたびたび目にしている。

ネット炎上事件でも、情報拡散の間に、似たような共有情報の認識があったにちがいない。「あいつの住所や勤務先を特定できる人はいないかな」という発信が飛び交っている間に、似た写真の人が本人であるという一部の人の確信が、あたり前の共有情報に格上げされる過程があったのだろう。「その人は別人なのでは」という疑問をさしはさむ余地が、だんだんと排除されていったのだ。

私たちは、発話の前提条件にもっと敏感であるべきだ。新型コロナウイルスがまだ流行り始めの頃、ある数理解析の研究者が、今のままで対策をせずに感染率が上昇すると、二カ月後には、一日数千人規模の感染者が出ると、コンピュータ・シミュレーションの予測を示した。私は、対策も行うだろうし、感染率の上昇見込みは高かったので、その予測は最悪のシナリオだろうと解釈したが、案の上、二カ月後の感染者数の上昇はそれほどでも なかった。

ところが、驚いたことに、感染者数の上昇がそれほどでもないとわかると、その研究者が「大げさな予測をして人々を惑わす人だ」と糾弾されたのだ。シミュレーション予測とは、「前提が正しいときには、ほぼ確実にこうなる」と示すことにすぎず、前提条件は変化するので、必ずしもシミュレーションによって未来がわかるわけではないのだ。

この事例は、一般市民が科学者の意見を聞くときに、内容よりも結果に注目していることを明示している。新型コロナウイルスのように、科学的な知見が定まっていない状態であると、前章で述べたように科学者の意見は多様になる。内容に注目していれば、その後の情報によって、どの主張がより確実になってきたかが判明するのだが、結果だけに注目していると、相互に矛盾があり、「何を信じてよいのかわからない」という当惑が生じる。

その状況を自分なりに解消しようとすれば、一見失敗したような意見を表明する人を「世間を惑わす人だ」などと糾弾して思考から排除するのは、ひとつの方法である。それによって思考の中の混乱は整理できるのであるが、これは誤った行為にほかならない。

考えてみれば、「何を信じてよいのかわからない」という訴え自体に問題性がかいま見える。世の中には不確実なことがたくさんあるので、半信半疑のままであっても、試しに挑戦してみる機会は数多い。もし「信じるまでは行動に移せない」というのであれば、行動に移すために、不確実なものを確実だと信じがちになる。その心理傾向が、フェイクを呼び込む大きな原因となっているにちがいない。

メディアを通じて、不特定多数がコミュニケーションをとる状態になってきた今日、まずは誤解が生じにくい言語活動の方法を確立する必要性がある。

### [コラム12] 科学記者の立場は弱い？

新型コロナウイルスの流行開始時には、科学的な知見が固まっておらず、科学者の意見が多様で市民が混乱した。一般に、その情報整理は科学記者が行うべき仕事である。しかし、その科学記者の立場は、新聞社や通信社の中で比較的弱い。

科学の装いをもったフェイク情報の撲滅に取り組む小島正美（元毎日新聞記者）によれば、新聞記者が重視する分野はなんといっても政治経済であり、家庭や社会分野、芸能やスポーツ分野などと比べても科学分野はたいへん軽視されているという。そもそも感染症が流行するなどの災害状況でもない限り、科学に関する記事はごく少ないので、重視されないのは当然でもある。

科学記者の活躍の場が少ないのは、科学分野にスクープがほとんどないことも要因になっている。記者は隠された事実を暴くことにより、つまり、他社が知らないスクープ記事を書くことで、高く評価される傾向がある。ところが、科学分野では、科学者が学会などでオープンに議論をしているので、隠された事実が原理的にない。

新しく生まれた科学的知見をいち早く記事にすれば、スクープに準じた価値があるようにも思えるが、そうでもない。新しい科学的知見には、それが確定するまで追試の実験を重ねるなどの多くの作業が伴う。その途中で記事にすると、後から追試によって誤りが見つかり〝誤報の烙印〟を押されることもしばしばある。

結局、科学分野の記事は「今年のノーベル賞を誰がとった」などのお決まりの話題だけになってしまうのだ。これでは科学記者に、感染症対策などの重要な局面で「科学の知見を整理して市民に伝える」という作業を機動的に行う技能が育たない。

伝統的なマスメディアが広告離れによって、多くの記者を抱えることができなくなった昨今、科学記者に期待された「科学界と市民をつなぐ役割」を、誰がどのような形で担うかを社会制度として考えていく必要があろう。気象予報士ならぬ、科学コミュニケーション推進士などの資格を設け、科学的知見を市民に届ける仕組みを確立したらどうだろうか。

私が思うに、フェイク情報のおよそ半数は科学を偽装した情報であるから、科学の方法を身につけた記者や市民をなるべく多く養成すれば、フェイク蔓延を低減させる有効なアプローチになるだろう。

## †メディアがあおる感情

本章ではこれまで、正義感からくる怒りや損失察知に伴う怖れが、私たちに具体的な行動をとらせるときに、不確実な情報が確実な確信に変わっていく過程があると明らかにしてきた。それらの感情や行動は、人間の祖先がおかれた生活環境のもとで、より効率的に生き残る術(すべ)として私たちが身につけてきた心理機能である。

しかし、現代の文明環境では、見知らぬ人々とも間接的な協力を模索すべくコミュニケーションをとることが求められている。この状況では、感情や欲求などの古くからの心理機能はうまく働かない可能性がある。そこで、その際には理性を発動して、文明環境に合わせた調節をする必要がある。

ところが、怒りや怖れなどの感情が働くと理性が抑制されやすい。もともと敵が襲ってくるなどの戦いが要求される局面では、脳や身体の機能を戦いに集中させないと生死にかかわった。そこで、あれこれ複雑なことを考える理性の働きはいったん停止にするように、人間は進化しているのだ。

メディアは本来、人々が文明環境に合わせて理性を働かせるための、手がかり情報を提供する役割を担っている。そのようなメディアは、感情的な要素は極力控え目にして、人々の理性が適切に働く助けをすべきところである。しかし、その理想に反して、現状のメディアは、受け手の感情を抑えるどころか、感情をかき立てる情報発信をしがちである。たくさんの情報があふれているので、感情をかき立てる情報発信をしないと注目されないからである。露出度が低迷すると、ビジネスとしてもやっていけない状況なのである。

新聞や放送などの旧来のマスメディアでは、感情をかき立てる情報発信には、一定の規制が働いていた。たとえば放送法では、希少な電波を使って公的な発信ができる放送事業者には、公序良俗にのっとった不偏不党の公正な情報発信が求められている。一方の電話などのパーソナルメディアでは、言論の自由の基本精神にもとづいて、検閲の禁止などの秘匿性を守る措置がとられてきた。

ところが、メディア技術の進展により、旧来のマスメディアとパーソナルメディアの双方のサービスが、インターネットを中核とするメディアに融合されてきた。そのため、電話にも放送にも分類できない中間のサービスが次々に生まれた。そのひとつがSNSなのである。そのような中間のサービスにおいて、規制をかけるのか、それとも言論の自由を基軸に利用者任せにするのかが、ジレンマになっているのだ。

私自身は、少し自由に寄りすぎてきたので、そろそろ熟慮のうえで規制導入を考える時期に来ていると思っている。露出率をあげることを目標にしたビジネスの自由に任せれば、感情をかき立てる情報発信が増え、憶測は断言され、不確実さは隠蔽されて、必然的にフェイクが増加してしまう実情がはっきりしたからである。

インターネットでは、「人々が求める情報が迅速に提供されている」と言えば聞こえはいいが、それまで閲覧していなかった種類の新情報はフィルターによって排除され、自分の考えを補強する情報ばかりが提供される（フィルターバブル現象と言う）。自分の考えを発信すると同調者による応援が即時にくるような〝共鳴箱〟の中にいれば、自分の考えが正しいという確信がますます強められる。それでは、昨今問題となっている〝社会の分断〟が助長されるのも当然である。

私の考えでは、信頼性は低いが発信が自由であるサービスと、発信内容に規制はかかるが信頼性が高いサービスを分けて、それぞれ別々に運営していくのがよい。これまでも、スポーツ新聞の芸能面は楽しめるが信頼性は低い、全国紙の一面は楽しくはないが信頼性は高いと、読者は情報を得るメディアによって活用する姿勢を変えていた。

情報を取り入れるときに、どの新聞を読むかによって信頼性をある程度判断できるのと同様、SNSを利用するときにも、多様なサービスから用途に応じて選べるようにしておくのがよいだろう。

## †訂正されない誤解

本章では、誤解から生じるフェイクに焦点を当てて議論してきた。そもそもコミュニケーションは協力関係の中で成立するものであり、そこで交わされる言語はあいまいなものであるため誤解が生じやすい。狩猟採集時代の小集団であれば、誤解があってもその後の相手の行動を見ていれば誤解もすぐに発見でき、訂正も容易だっただろう。

しかし、現代社会では事情が変わった。見知らぬ人とのコミュニケーションが可能となったうえに、新しい情報やアイディアは、そうした見知らぬ人との対話によって得られるともされ、奨励されるようになったのである。

見知らぬ人とのコミュニケーションでは、協力関係にある人どうしよりも、当然多くの誤解が生じる。ところが、そうした誤解が訂正される機会はそれほど多くない。テキストデータを時間差でやりとりする対話であれば、リアル会話に比べてなおさら誤解が放置されやすい。

少し前の社会では、見知らぬ人とのコミュニケーションは遠慮がちだった。狩猟採集時代は見知らぬ人は敵だったので、人みしりの心理さえも私たちに存在している。その心理を超えて密な対話を行うには、はじめに相互の信頼を形成する必要があった。相手がウソを言ったり自分をだましたりする意図はあまりないなと推測できてから、本格的な対話が始まるものであった。

信頼形成の段階を飛ばしたコミュニケーションには何が起きるだろうか。誤解が生じて訂正されずに蓄積する。そうした場で、フェイクが蔓延するのは必然ではないだろうか。私たちは、その可能性にうすうす気づいて、コミュニケーションを制限し始めているのかもしれない。

以上のように、誤解の問題の始まりは、協力集団向けのコミュニケーションの形態を、見知らぬ人どうしに、一気に拡大したことにあると言える。これからでも遅くはないので、人々の心理を考慮しながら、注意深く拡大する手順をとっていきたい。

私は、協力集団を超えたコミュニケーションのあり方には、科学界が採用している方式が参考になると考えている。次の第7章では、そうしたコミュニケーションの推進には、人々の部族意識との調整が不可欠となることを論じる。とくに日本の文化が壁になるところがあるので、さらに、ひと工夫が必要である。

# 第7章 結束を高めるフェイク——部族意識の功罪

## †人心をつかむ大きな話

私にとって前世紀末の一九九九年は、記憶の節目となる年だった。今の大学に赴任して三年目であり、長時間の連続講義にも慣れて仕事も快調であったが、学生たちは何かざわついた感じに見えた。というのは、この年は、かねてより流行していた「ノストラダムスの大予言」による、〝地球滅亡の年〟だったからだ。

「ノストラダムスの大予言」とは、一六世紀のフランスで書かれた予言の詩である。その一部に、「一九九九年の七の月に大災害が起きる」と解釈できる部分があり、それが一九七〇年代の日本に紹介され、大ブームとなっていた。一九九九年は、まさにその〝検証の年〟だったのである。

当時私は、科学的な方法論を講じる授業の中で、この予言のからくりをとりあげて教材としていた。歴史的な事件や災害が起きた後に、「それを予言した詩がないだろうか」と多くの詩の中を探しながら詩を解釈するので、〝予言が見つかる〟にすぎない。これはいわゆる「後付けバイアス」であり、予言は科学的な検証を経ていないのである。

後付けバイアスによって信じた〝予言の正しさ〟にもとづいて将来を予測しても、その

正確性はきわめて低い。そう授業で力説したものの、学生の反応が今一つであった。

そこで私は、学生たちに「ノストラダムスの大予言」を少しでも信じている者はいないかな、と問うてみた。多くの学生が苦笑いをするなかで、遠慮気味に手をあげる学生がいた。「周りの人たちが結構騒いでいるし、予言がまったくの誤りとも言い切れないし」と、不安そうな様子で内心を吐露した。

そこで私は、「今の不安な気持ちを忘れずに、七の月を過ぎてからまたふり返ってみよう」と指導した。当然ながら、七の月は何事もなく平穏に経過した。多くの学生は、それまで抱えていた漠然とした不安をすっかり忘れただろうが、過去の不安を記憶にとどめた学生は、人々の不安が社会を動かす可能性がある事実を、よく認識しただろう。

実際、こうした不安がカルト教団に利用される。いついつまでに地球は滅亡するという、いわゆる「終末予言」である。たとえ予言の正しさが一％未満であっても、正しかったときの損失が莫大であるとすれば、人間は損失回避行動に出やすい。「うちの教団の信者だけは助かる」と言われると、「とりあえず信じておくにこしたことはない」と、信仰を深めるのである。

いったん信仰が深まると、予言通りの滅亡が起きなくとも「我々の祈りによって今回は回避できた」として終末予言を延期できる。最後には、自ら爆弾などを使って〝終末〟を自作自演する教団もある。そのひとつ、ブランチ・ダビディアン教団の武装闘争と集団自殺（一九九三年、米テキサス州）の例は、よく知られている。

本章では、こうした集団信念から生じるフェイク蔓延の実態にせまる。情報ネットワークが発展すれば隠れた真実が明るみに出るという期待に反して、ネット上では、何をもっても否定しきれない陰謀論が広まるのである。

二〇一一年に発生した東日本大震災の際には、奇妙な地震波形が記録され、震源も浅いことから、人工地震と見なす人々が現れた。人工地震研究はかなり昔から取り組まれてお

り、海底で穴を掘る地球深部探査船が人工地震の実験をすでに秘密裏に行っていたという。こうした人工地震の兵器としての応用開発が災害を起こしたのだから、犠牲者の無念を晴らすためにも、そうした連中に立ち向かう必要があるとされたのだ。

ＡＳＩＯＳ（超常現象の懐疑的調査のための会）の代表である本城達也は、「人工地震説は、数万から一〇〇〇万単位の人々が知る陰謀論となっている」と言う。彼の分析によれば、過去にない超巨大地震が〝奇妙な地震波形〟を伴うことには何の不思議もなく、震源の深さも過去の巨大地震と同程度の範囲内である。人工地震研究も地質調査を目的に行われてきたものであり、〝地震兵器〟とは無関係であるなどと、人工地震説の論拠を細かく無効化している。

私は科学者であり、また地震研究についても一定の知識をもっているので、本城の分析の正当性をよく認識できる。しかし、そうした知識がなければ「ASIOSという団体も地震兵器開発者の一味である」などと、ありもしない仮説を導入することで、人工地震説を信じ続けることができてしまう。

その信奉の背景では、第4章で述べた自己効力感も関わっている。巨大災害の前では、いやおうなしに人類の無力さをつきつけられるが、それが「地震兵器開発者の陰謀である」とみなせれば、そういう連中と対峙することで、将来の災害を未然に防ぐ道がひらけるのだ。想像世界の中で自然災害が一転して人類の手中におさまるので、きわめて巧妙な発想とも言える。本章では、こうした陰謀論の信奉が、とくに情報ネットワークが普及したがために信じ続けられる構造を明らかにしていく。

## †ウソ活用社会の登場

宗教をはじめとして、人心をつかむ大きなウソ話は枚挙にいとまがない。そのコミュニティの内部ではあたりまえの話が、ひとたびそのコミュニティを離れると、自分はなぜ信じていたのかが理解できないほど荒唐無稽の話に感じられる。終末予言の期日の前と後の心理状態の差異が、そのいい例にあたるだろう。

進化心理学の原理にもとづくと、こうした大きなウソ話を信じる心理には、生物進化上の利点があったと考えられる。

前述したように、私たちの祖先が長いあいだ生活していた狩猟採集時代の協力集団では、ウソが不必要であった。ウソは協力関係を損ない集団の不利益になるうえに、一〇〇人くらいの小人数の集団では、ウソがすぐにばれて糾弾されるからである。ウソをつき続け、ひとたび〝裏切り者〟の烙印を押されれば、集団から追い出され個人としても生きていけなかったのである。

その結果、集団に生き残る者たちは、生まれながらに原則ウソをつかない者、周りの人々の主張を信じる者ばかりになった。そうした社会の中で、集団の結束を高めるために大きなウソ話が編み出された。その大きなウソ話は、集団のルールを守るために、またときには、小さなウソが拡大して集団の不利益にならないようにと、的確に働いたのである。

とくに一万年前以降、農耕が生まれて定住が進み、人口が増えてきたところで、大きなウソ話の効用は急拡大した。集団のメンバーの数が増えると、相互監視が行き届かなくなるので、〝裏切り者〟の発見が難しくなってくるからである。まさに、狩猟採集時代の〝ウソなし社会〟から〝ウソ活用社会〟への転機である。

心理学者のジェシー・ベリングは、このウソ活用の転機をあぶりだす実験を行っている。その実験では、子どもたちを集めて「ボールの的当て遊び」をさせている。ルールは厳しく、的から遠い位置に引かれた線を越えずに、利き手でない手を使って、それも後ろ向きに投げよ、である。

誰も見ていないところで一人ずつ実験をすると、興味深い現象がみられる。子どもはルールを守っていてはとても的に当てられないと、すぐに認識するので時間を持て余してしまう。すると誰もが、線を越えて近づいて投げてみたり、前向きに利き手で投げてみたりと、ルール破りをするのである。なかには、ボールを投げずに持って行って的の真ん中にくっつけ、知らん顔をして「真ん中に当てられた」と主張する子も現れた。冒険心の旺盛な子どもたちは、数々の小さなウソをつくことがわかる。

このベリングの実験は、もうひとつのさらに興味深い条件設定のもとで、別の子どもたちに対しても行われた。こんどは、彼は実験前に子どもたちを集めて、「プリンセス・アリス」という見えない妖精が部屋の片隅の椅子に座っているという架空の物語を聞かせた

のである。もちろん子どもたちは、「ウソだぁ」と言わんばかりの態度をとる。ところが、一人ずつの実験になると、実験中に椅子を何度も見つめたり椅子の上を撫でまわしたりしながらも、ルールを破らずに的当てを試み続けたのである。

ベリングの実験は、幻想的な物語が集団のメンバーの行動を方向づける傾向を、具体的に実証した点で意義深い成果とされている。

他にも、社会心理学の実験では、所定の金額を箱に入れればお菓子を自由に持って行ってよいとする場面で、人の顔写真を壁に貼っておくだけで、しっかり所定の金額を入れる人が増える現象が見出されている。

集団が大きくなると、裏切り者が発生し、

ルールを守る倫理的なメンバーだけで集団を維持するのが難しくなってくる。しかし私たちは、妖精や顔写真、スローガンなどの象徴的表現によって、所属集団のルールを守るよう誘導される心理構造を持っている。それがゆえに、文明の進展とともに協力集団の規模を拡大できたのである。

こうした傾向性は、大きな協力集団を維持する「部族意識」の始まりと位置付けられる。たとえば、「うちの集団は〝フクロウの部族〟である」というスローガンを掲げれば、集団メンバーは〝フクロウの精霊〟に見守られた気持ちになる。その結果、皆が部族のルールを守って結束は高まり、集団のために働く意識が高まる（いわゆるトーテミズム）。この部族意識は、大集団における協力を成立させ、文明の発展を後押しした意義がある一方で、部族間の対立を招く問題にもつながっている。

## †外に敵を作れば一体感が増す

私たちは、制服を着ることで所属集団のルールを守るようになったり、一緒に歓声をあげることで集団の一体感が増したりする現象を、たびたび目の当たりにしている。プロ野球やJリーグの応援にスタジアムに行ったときには、自ずとこの連帯感の心理構造に気づかされる。

同じチームの一員として、共通の目標に向かう気持ちは、前節に述べた部族意識の現れとみてよいだろう。部族意識が刺激されれば、所属集団の利益を目標にした協力が増進される。スタジアムでの私たちの気持ちをかえりみればわかるように、この意識は対戦相手が存在しているときに、きわめて強くなる。敵がいれば、団結してそれを打ち負かそうという気持ちが湧き上がるからだ。

この敵愾心は、政治の場でよく利用される。国内で意見が分かれて紛争が絶えないときに外敵が襲ってくると、国民は意見の対立を棚上げにして一丸となって外敵に立ち向かう傾向がある。内部抗争を続けていては、外敵に出し抜かれてしまうので、生き残るためにしごく当然の心理傾向である。

ところが、プロパガンダやフェイクニュースによって〝外敵〟を作り出して政治の安定を図るテクニックが、歴史上、為政者によってたびたびなされている。外部から襲来する敵を連想させる情報は、政治的な安定を意図したフェイクニュースではないかと、疑ってかかるのがよい。

とはいえ、見知らぬ人々が大勢集まった集団をまとめるのは至難の業である。宗教や部族意識、〝外敵〟に頼りたくなる気持ちも理解できる。むしろ、現実により大きな問題となるのは、大集団をまとめるためにとられる、集団の階層化である。

前に述べたように、ヒト以前のサルの集団は、支配と服従の階層関係になっていることが多い。そこでは、地位の高い個体の指示に地位の低い個体が従うのだ。地位の低い個体は上からのパワーによって、集団に対する裏切りができないように制限される。その一方、ヒトでは、狩猟採集時代の生活様式の事情から、階層関係でなく平等関係を築くように転換をとげた。

ところが、文明の時代になって集団が拡大すると、裏切り防止の効果が十分に整わず、再度サル時代の階層関係を導入する傾向が強まったのだ。とくに専制君主の国家において、ボスを頂点にしたピラミッド型の階層社会になりがちである。その社会では、不条理を真摯に指摘する主張が、集団に対する裏切りとみなされ抑圧の対象となりやすい。

民主主義の体裁をとっていれば、相応の言論の自由が認められるわけだが、それでも専制国家によるあらわな言論統制から、国家への裏切りだとする言論攻撃までがなされている。フェイクニュースの応戦の裏には、真の民主主義をめぐる攻防が隠れている場合もあるわけだ。

専制国家の最大の弱点は、社会の協力から生まれる創造性を失ってしまうことである。どこで誰が〝裏切り〟を監視しているかわからない社会では、私たちが生来もっている協力を先行させる姿勢を消極的にしてしまう。疑いが疑いを生み、疑心暗鬼になった心理状態では、伝統的なルールに従うのみの生活になる。それでは、変化を続ける現代社会への適応力がそがれていくのだ。

こう考えると、フェイクが横行している情報メディアでさえも、それが一定程度の範囲であれば、厳格なフェイク監視がなされたメディアよりもむしろ、人々の活力を生む場として許容できるのではなかろうか。

### ［コラム13］愛情ホルモンが分断を生む？

愛情ホルモンとして注目されているオキシトシンは、子どもを産んだ直後の母体に多く分泌されて、かけがえのない我が子を守る行動をひき出す役割が知られている。また、父親のほうでも、子どもを産んだ配偶者を目の当たりにすることで体内オキシトシンが上昇して、子どもや配偶者を守る行動が起動される。

ハタネズミの研究では、山に住む種が乱婚傾向であるのに対して、平地に住む種が一夫一妻傾向である要因が追究されている。その婚姻形態の差異をもたらしている要因として、山に住む種よりも、平地に住む種でオキシトシンの働きが大きいことが重要視されている。

オキシトシンは、医学研究向けにスプレー式の薬剤が開発されており、研究の一環として鼻にオキシトシンをスプレーすることで、人間行動の変化を実験的に調べることができる。そうした実験の結果によると、オキシトシン吸入によって配偶者への愛情は高まる反面、他の異性を拒否する傾向が増加することがわかり、人間でもオキシトシンが一夫一妻傾向を誘発する可能性が明らかになってきた。

考えてみれば、愛情というのは、愛情の対象となるものをとりわけ大事にすることであるから、その対象をおびやかす敵を排斥する心理と連携しているのも当然である。

協力するサルとして進化してきた人類が、協力仲間に対する隣人愛を育んできたとすれば、同時にその仲間をおびやかす外敵に対する敵愾心も高めてきたにちがいない。協力仲間とその外敵を分け隔てる部族意識は、愛情から発展してきた人類の根源的な心理特性なのである。

部族意識は、同じ所に住んでいるとか、同じ言葉を話しているとか、同じ食べ物が好きであるとかの、単純な同質性から起動される。その同質性に反する人を排除するという意識と隣り合わせになっているために、人の差別化につながりやすい。部族意識の功罪を認識して、場合に応じてそれを適度にコントロールする理性の働きが大切なのである。
近年重視されている「多様性を認め合う社会」の構築には、各自がもつ部族意識への反省が不可欠なのだ。

## †多集団所属に伴う葛藤

現代社会においては、個々人に対する集団の意味合いが大きく変化している。もはや、狩猟採集時代のような一蓮托生の協力集団は存在していないし、部族意識でまとまる大規模な集団も鳴りを潜めてしまった感がある。一個人は、一生のあいだに集団をわたり歩くものであるし、家庭や学校、職場や地域、趣味のサークルなど、複数の集団に所属することもあたり前になった。

ところが、私たちの心理構造の基盤は昔のままである。所属集団で認められて承認欲求を満たし、所属集団に貢献して達成感を得ようとする。そこで、企業や組合などの諸団体は、所属メンバーの連帯感を刺激し、集団からの離脱を防ごうと、私たちの心理構造を利用する。居心地の良い〝居場所〟を提供するのに加えて、団体の理念やスローガンを声高に掲げるのだ。ときには、団体の存続の危機をあおって結束を図ることさえある。危機のない段階で〝将来の危機〟をあおる行為は、フェイクとみなされても仕方がない。

スローガンでメンバーをまとめようとする団体は、封建的な雰囲気になりがちである。トップの意見を上意下達し、下位の者も上を目ざし、自分の意見を主張しない傾向が生じやすい。まさしくサルの階層関係の復活である。たとえば、サッカーチームのユニフォームを進んで着る青年が、自分の学校の制服を着たがらない背景には、学校の封建的な雰囲気に対する反発が見てとれる。

一方で、現代社会における集団の求心力は急速に低下しつつある。もはや単なるスローガンでは、集団への忠誠心は維持できない。所属集団が変わりやすい現代では、個人としても伝統的な心理構造と折り合いをつける必要がある。周囲からの承認を受け達成感を感じながらも、それに固執せずに、変化する環境に合わせて新しい集団を求めていく姿勢が重視される。

また、複数の集団に所属するようになれば、いつでもどこでも変わらぬ〝本当の自分〟にこだわってはいられない。職場で細かいことに注意を払う経理社員が、週末に子どもたちの運動を指導するおおらかなコーチになっていたら、どちらが〝本当の自分〟なのだろうか。おそらくどちらも〝自分〟なのである。

〝本当の自分〟とは、狩猟採集時代の協力集団における理想である。何もとり繕うことなく、ありのままの自分を承認してもらいたいという欲求の現れでもある。しかし現代では、そのような密な協力集団はなくなり、関係が限定された集団ばかりになってきた。そうした集団ではむしろ、集団ごとに異なった役割を果たすことが自己実現につながっている。自己を柔軟に演出できる人が現代の文明環境に適応しているのである。

たとえば、職場と趣味のサークルでふるまいや主張が異なるのは当然である。SNSで両者の情報を開示していたら、矛盾が見られても当然なのである。それは、状況に応じて自分をスイッチできる〝柔軟な自己〟の開示なのである（この柔軟さを奨励するのが、平野啓一郎の「分人主義」である）。

こうした事態のなかで、かりに趣味のサークルでの発言がとりあげられ、職場で「じつはこんな人だった」などと吹聴されたならば、フェイク被害に相当するような〝ぬれぎぬ〟である。所属集団ごとに当然、発言にかかわる特別な背景がある。その文脈を外して、他の集団のメンバーが発言を批判する行為は、〝本当の自分〟が存在するという発想にこだわった愚行だろう。

現代社会に生きる私たちは、タテマエを演じたり自分をスイッチしたりしながら、さまざまな集団に適応している。「本当の自分の存在」を前提にした〝フェイクあばき〟が、柔軟な自己に伴う情報開示を消極的にするようでは、残念至極である。

## †集団先行の日本社会

戦後、日本の社会のあり方が、米国の社会と大きく違うことが強く認識され、比較研究が再三なされている。「日本はタテ社会である」とした中根千枝の議論や、「日本の安心社会は米国のような信頼社会に転換しなければならない」とした山岸俊男の議論が代表的である。それらの議論をふまえながら本書では、日本は狩猟採集時代の心理構造を色濃く残した「集団先行」であり、米国は現代社会の多集団所属状態により適応した「個人先行」であると論述しておきたい。

私は、小グループに分かれてのチームワークを主体にした授業を受け持っているが、新しいグループが編成されたときに、いつも気になる発言を耳にする。新メンバーが顔を合わせると、学生たちは自己紹介をするのだが、少なくない学生がきまって「二年三組の○○です。サークルは入っていません」などと発言している。ここに集団先行現象がみられるのだ。

「三組」とはクラス番号であるが、実際のところクラスごとの授業はごく少数であり、自分がどのクラスに所属しているかを述べても他の学生には意味がない。それに所属しているサークルを述べるのであれば、いま取り組んでいる活動がわかって自己紹介になるが、サークルに所属していないと述べても役に立たない。むしろ、サークルに所属していない不安を表明してしまっている。

こうした日本の学生の発言は、よく留学生から奇妙であると指摘されるが、思うに、日本の学生のアイデンティティが所属する集団によって確立されることを示している。さらに日本では、就職すると名刺を配って自己紹介しており、所属団体をアピールする傾向にあるが、それも集団先行の現れである。

集団先行の生活様式は、集団に所属することによって集団の利益を自分に分けてもらう戦略であり、狩猟採集時代の協力集団の構図を踏襲している。だから、最初の自己紹介では集団に承認されたいという心理が起動し、自分は集団に害を及ぼすことのない従順な人であると表明したくなる。また集団に承認された後は名刺を配ることによって、その集団が形成してきた信頼を背負ってビジネスなどを有利に進めようとするのである。

一方、米国での自己紹介ならば、自分の活動や理想を率先して語り、賛同者を探すのが常である。いわゆる「ラウンドテーブルにつく」と言って、自分の能力や知識を披瀝することによって、相互協力できる関係を探し、機動的な集団をつくっていく個人先行なのである。

よく日本が滅私奉公の集団主義、米国が自分勝手の個人主義とされる傾向があるが、それは誤解である。両国とも個人も集団も大事にするけれども、重視する順番が違うのである。その結果、集団先行の日本では、集団の中で誰が誰と折り合いが良いなどの、集団内での政治力学を見通す力が高まるが、見知らぬ人がどの程度信頼できるかを的確に見抜く力が弱くなっている(前述の山岸の指摘)。加えて、フェイクを見抜く力も弱いと類推できる。

それに日本では、集団の論理に由来するフェイクが横行しやすい。日本企業でたびたび生じている、品質検査データの捏造や食品の賞味期限の改竄、日本政府の官僚が起こしている社会統計データの捏造や会議議事録の改竄は、その最たる例である。集団先行の社会では、公共的なルールよりも、所属集団のルールが優先されやすい。ずさんなやり方であっても、「昔からこうやっているのだ」と言われると、それに異を唱えるのが心理的に難しくなるからだ。マフィアなどの暴力組織内で、法律よりも暴力行為が正義に感じられる現象と通底している。

ビジネス環境などの変化が激しい現代社会で、集団先行と個人先行のどちらが有利かは自ずと明らかである。変化に対応した集団を臨機応変に組める個人先行のほうが有利なのである。それに集団先行では、過去に成功したやり方に固執して保守的になる傾向が顕著であり、変化への対応が遅れてしまう。ただ、長い年月にわたって地道な技術開発が必要なビジネスでは、集団先行の利点が出てくる。短期的な成果に惑わされることなく、団結して技術開発が続けられるからである。

近年、日本と米国の差異は、他の国々に関しても普遍的に論じられることが判明した（北海道大学社会生態心理学ラボの研究）。人間関係の流動性が高い南北アメリカやオセアニアは米国と類似し、その流動性が低いアジアやアフリカは日本と類似している（ヨーロッパは両者が混在）。多様な人々が移住し続ける新大陸や、人の出入りが激しい商業地域などでは個人先行になり、人口密度が高く、農業などの体系的な協力が必要な産業がさかんで、自然災害が多くて団結が必要な地域で、集団先行になる傾向が見出された。

## ［コラム14］集団の特性は文化由来か遺伝由来か

人類はみな塩分や糖分、油脂が大好きである。それらは生きるために不可欠な栄養素であるからだ。ところが、先進諸国では、それらが安く豊富に提供されており、食べ過ぎによる生活習慣病が問題となっている。生きるために不可欠な栄養素が不足しては生死にかかわるので、誰もが生まれながらに、それらを積極的に摂取するよう遺伝情報の命令が備わっている。それを抑制するのが難しいので生活習慣病になりやすいのだ。

では、牛乳はどうだろう。日本人は、牛乳に含まれる乳糖を分解する酵素の活性が弱く、牛乳を飲むとお腹がゆるくなる人が多い。日本での牛乳消費量がそれほど増えないのは、これが大きな原因である。一方、ヨーロッパの酪農地帯に生活する人々は、生まれながらに乳糖分解酵素の活性が高い。牛乳が飲めないと、栄養摂取に大きなハンデを負ってしまうので、活性が高くなるように遺伝情報が進化したのである。

この酪農という生活様式は文化由来なのか、それとも遺伝由来なのだろうか。牛乳消費に乳糖分解酵素の活性が関係しているとすれば、その酵素活性が低い人々ばかりの地域には定着しないので、酪農がどの地域に広まるかは遺伝由来と思われる。しかし、酪農が浸透しはじめた地域において、牛乳を飲める人々のほうが生き残りに有利になり、酵素活性が高い人々が増えたと考えれば、もともとの起源は文化由来とも言える。

このように、生活様式や風習などの集団の特性は、文化と遺伝とが循環関係になっており、両者ともに由来すると考えられる。文化要因が遺伝に影響したり遺伝要因が文化に影響したりと、相互作用が生じるのだ。遺伝要因があるならば、普及に対して技術的な工夫が効を奏する。牛乳の例では、乳糖を分解しやすくした加工乳を開発して日本で販売するなどの対策が期待される。

前述したように、日本の文化が集団先行であるならば、グローバルな動向に合わせた個人先行に変更しようという議論が生じる。新しい文化を教育し、制度を改革すれば、文化が変えられるように思える。しかし、そもそも日本人が集団先行向きの遺伝要因をもっている可能性があるのだ。

たとえば、日本人に居場所を求める衝動が強い傾向が遺伝的にあるとすれば、それは集団先行向きと推測できる。その場合、その衝動を緩和する心理学的・生理学的な方法を編み出す研究が求められる。

同様に、フェイク情報をうのみにしたり拡散したりする背景に、遺伝要因が隠れている可能性も少なくない。フェイク蔓延への対策には、そもそも私たちが生まれながらに苦手な、批判的思考や統計的思考を長年かけてトレーニングする必要があるのかもしれない。

### †陰謀論を超えて

本章では、部族意識を刺激するフェイクを議論してきた。外敵襲来をほのめかす情報に恐怖心をあおられ、仲間がやられたという情報で復讐心に火をつけられると、部族意識が鼓舞される。私たちは、為政者がフェイクニュースを流して、人々の部族意識をプロパガンダに利用する可能性をつねに自覚しておかねばならない。感情が動かされも「いやまてよ」と、半信半疑の姿勢をどこかで保っておく必要がある。

自由に情報発信できるSNSなどの現代メディアにおいては、ますますフェイクが増えている。現実には存在しない闇の組織を悪者にして、架空の連帯感を増長させる陰謀論が跋扈しがちである。反面、自由な現代メディアでは、伝統的なメディアでは報じられなかったリアルな事実も広まっている。現代では、これまで以上にフェイクとリアルを見分ける努力が必要とされている。

前述したようにウソの研究によれば、ウソをついている瞬間の発話行動を切り出してきて精査しても、ウソであることはほとんど見抜けない。しかし、誰がどのような場面でその発話をしたか、その発話によって誰にどのような利益や損失が見込まれるかと考えてみると、ある程度はウソの度合いが判断できる。つまり、背景事情や状況証拠によってウソっぽいと判明するのである。

そう考えると、ネット上のフェイクニュースがそれだけとりあげてもフェイクと見抜きにくいのは当然である。誰がどのような場面でその発話をしたかが不明瞭なまま、拡散している間に尾ひれがついて、誰にどのような利益や損失が見込まれるかが隠蔽されていくからである。

そもそもコミュニケーションは密に協力する仲間を中心になされるものであったにもかかわらず、現代メディアは私たちの準備が整っていないまま、見知らぬ人たち同士の自由なコミュニケーションに開放してしまい、このような事態を招いているわけだ。

しかし、文明における科学的方法の成果を目の当たりにすると、希望が見出せる。人間心理や社会の構造を理論的に捉え、データにもとづいて精査する科学的姿勢をフェイクの分析に適用すれば、その背景事情や状況証拠が明るみに出て、フェイクの疑いが推定できる。この作業は手間のかかる作業ではあるが、近年、期待がもてる活動が現れている。ファクト・チェック(事実検証)を掲げるサイトである。

ファクト・チェック・サイトでは、フェイクの疑いがある情報について、他の情報とつきあわせて論理的な矛盾をつくといった方法で、フェイク暴きが試みられている。現在では、まだこうした活動が少ないので、「ファクト・チェック・サイト自体がフェイクだ」という批判が成立しがちである。しかし今後、科学的方法を身につけた人々が各処で活躍するようになれば、自ずとフェイク暴きの正当性が、多くのファクト・チェック・サイトの連携で明白になっていくだろう。

加えて、情報公開が重要である。オープンに活動して、つねに批判を受け入れながら万人で知識を共有する姿勢は、科学的精神の核心であり、それによって科学は実用的な成果をあげてきた。その精神をファクト・チェックにも展開し、フェイク暴きの根拠を皆が共有できる状態にすれば、「ファクト暴き活動はどれも闇の組織の陰謀に加担した行為だ」といった徹底的な陰謀論は、さすがに成立できなくなる。

集団先行の日本では、所属集団の利益を優先して、情報公開に消極的になる傾向が伝統的にある。それを防ぐために、情報公開を社会における公的なルールとして優先する意識改革が、とくに求められる。

このようにフェイクについて深く考えることによって、私たちの民主主義の理想やその成立基盤も明確になる。だから、たとえフェイクであっても価値ある情報として、真摯にその背景の分析に取り組んで行きたいものである。また、その仕事を専門的に行う人々への社会的な支援も忘れられてはならない。

# 終章　フェイクとどのように対峙していくか

すべてのフェイクを残らず見抜くのは難しい。それは私たち人類が協力をして文明を構築してきたことに起因する。協力を進めるために、人間は他者を信じるように進化しているのである。フェイクは、その人間同士の信頼の裏をかいているのだ。しかし、事態はそれほど悲観的ではない。フェイクによって人間同士の信頼関係が全面的に崩壊する兆しはまだない。フェイクを見抜くいくつかの方法も、フェイクを未然に防止する対策も見つかりつつある。今後の社会は、フェイクとうまく共存する道を見出していけるだろう。

本書を終えるにあたって、以下では、これまで論じてきた内容をふり返りながら、フェイクが生じる構造と、フェイクへの対策をまとめていく。

第1章では「見かけがつくるフェイク」をとりあげた。シカの角や鳥の尾羽の例をあげながら、「見かけによって力強さや健康をアピールする特性」が動物に広く存在することを指摘した。人間は動物でありながらも、唯一その見かけを装う知恵を獲得したため、

「装いのフェイク」が生まれた。ところが、その装いが日常化して当たり前になった今日、装いは身だしなみやファッションと化している。

否定的なフェイクも、それにだまされる人がほとんどいなくなると、肯定的な演出となる。だから、私たちが自身の「見かけを判断する心理」がどのように働くかを熟知すれば、フェイクを娯楽として楽しめる可能性が生じる。考えてみると、私たちはジョークやユーモアを交わして楽しんでいる。これらは、明らかにウソとわかることを言って、裏の意味を伝えているのだ。フェイクは嫌われがちだが、ジョークのように何か新しいものが生まれる端緒と見ることもできる。

第2章では「共感に訴えるフェイク」をとりあげた。私たちは狩猟採集時代に密な協力集団に暮らしていたので、仲間の言う事を率先して信じ、同調することで、集団作業の成果を上げてきた。狩猟採集時代の生活がとても長かったので、私たちにはその行動傾向が生まれながらに備わっている。ときには、ウソを言う不届き者も出現しただろうが、集団から排斥されたので、ウソつきはほとんど進化しなかったのである。

ところが、文明の時代になって多様な集団が存在するようになり、また、仲間だけでなく見知らぬ人とも協力をするようになって、共感につけこんだフェイクが登場した。人々の共感が仲間でない者へも拡大するにつれて、それを利用する者が現れたのだ。私たちが見知らぬ人々までをも信じることは、協力を増進する貴重な特性である。しかし、不届き者にだまされないよう、仲間でない者への共感は慎重にすべきである。また、社会としても、不届き者が罰せられるような制度の構築が望まれる。

第3章では「言語が助長したフェイク」をとりあげた。長らく密な協力集団に暮らしてきた私たちは、言語を身につけた。仲間の言う事を率先して信じることに集団として利益があるので、協力に必要な言語が発達したのだ。しかし、過去や未来を想像して仕事の能率をあげるのに貢献した言語が、同時に、ウソを気軽なものにしたのである。

一口にウソと言っても、仲間を守るためのウソや、集団を安定させるファンタジー、遠回しに意図を伝える皮肉など、肯定的なウソも数多い。人類は言語の発達とともに、ウソを利用する道を進んだとも言えるのだ。けれども、文明の時代には、ウソを悪用するフェイクが次々と登場してきた。私たちは、言語の切れ味の鋭さや、豊かな意味をひき出す創造性をよく認識したうえで、言語に過剰に惑わされることのない節度ある姿勢を築く必要がある。

第4章では「自己欺瞞に巣くうフェイク」をとりあげた。密な協力集団で暮らすには、私たちはその集団に適応しなければならない。集団適応に向けた心理構造として、承認欲求、自己効力感、達成感などが進化し、私たちに備わっている。この心理構造は、狩猟採集時代の生活ではとても貴重な役割を果たしたが、現代になって文明社会とのミスマッチを起こしている。

これらの心理構造が根強く残っていると、現代では必要のない場面でも過剰に発揮されてしまう。たとえば私たちは、周囲から承認されているという気分になろうとしたり、仕事の成果が認められているという証を求めたりするのである。ときには、架空の物語を自らつくり「自分だまし」をすることさえある。評判を気にしたり、ネット上で自己呈示をしたりする背景にこれらの心理構造があると認識することで、フェイクにつけ込まれることのない姿勢が形成できるだろう。

第5章では「科学の信頼を利用したフェイク」をとりあげた。文明の時代になって科学は長足の進歩をとげた。科学は経験のパターンを体系化して未来予測する営みであるが、人々がオープンに知識を共有することで、人類の生活を飛躍的に改善できてきた。この科学の成功を利用し、科学を装うことで利益を上げようとする疑似科学が、現代社会で横行している。

科学性の度合いは、理論やデータに関する一連の科学的方法論を身につければ、判定可能である。一般市民が科学的方法論の全貌を学ぶのは至難の業であるが、いくつかの要点はすぐに学べる。確証だけでなく反証も考える、因果関係と断定するのに慎重になる、効果を判定するときは比較する、理論はあくまで仮説だとみなすなどである。こうした要点とともに、疑似科学を弄する悪徳ビジネスの社会的背景を理解すれば、かなりのフェイクが見抜けるようになるだろう。

第6章では「誤解から生じるフェイク」をとりあげた。現代の情報メディアの発展に伴って、見知らぬ人ともコミュニケーションがとれる仕組みが確立した。本来コミュニケーションは、集団内の仲間同士で協力の効率を上げるための手段だったのだが、見知らぬ人とのパートナーシップを探る手段へと拡大したのである。ところが、見知らぬ人とのコミュニケーションは、相手の事情が見えにくいので誤解が起きやすい。情報が変更されたり尾ひれがついたりして、フェイク情報が拡大しやすいのである。

誤解から生じたフェイクが拡大する背景では、情報メディアを利用する私たちの心理が色濃く影響している。損失回避の動機、正義感の発揮、確率判断の苦手さ、意図の過剰な推定などに留意すれば、フェイクの拡大に歯止めをかけられるだろう。また情報メディア自体も、すべてを自由なコミュニケーションの場とするのではなく、サービスごとに制限を設けて、さまざまな信頼性の段階をもつ多様なメディアの集まりとしていくことで、フェイクニュースが極度に拡散する状況を鎮静化できるにちがいない。

第7章では「結束を高めるフェイク」をとりあげた。文明の時代になって集団が大きくなると、メンバー同士の密な協力が難しくなってきた。その際に有効に働いたのが、部族意識である。象徴的なシンボルやスローガンによって、集団の一体感を高め協力をおし進められる。私たちには部族意識を発動する心理構造も進化しており、人類の発展に多大の貢献をしてきた。

しかし、部族意識は両刃の剣である。一体感を高めて集団を結束させると同時に、外敵への敵愾心も増長させる。為政者は部族意識を増進させるために、外敵への恐怖や復讐心を刺激するフェイクニュースを流すことがたびたびある。ネット上では、架空の一体感を背景にした陰謀論が多くの人々に信じられ、広まることさえある。けれども、これらのフェイクについては、科学的な方法を基盤にした事実認識によって、あらかた見抜ける。科学的方法論を身につけた人々が主導するメディアチャンネルを確保しておけば、フェイクが存在するにしても、それほど大ごとにならない社会が築けるだろう。

いかがだろうか。私たちがフェイクを作り出したり拡散したりする心理構造、フェイクを野放しにしてしまう社会構造が理解できたのではなかろうか。問題の根源は、人類の歴史で育まれた伝統的な心理構造が、比較的自由な現代の社会環境とミスマッチを起こしていることに人々が気づいていない点にある。この進化心理学の観点を多くの方が認識していけば、問題の軽減や解消に向かうのは間違いない。いつの日か、フェイクをジョークとして笑い飛ばせる社会が訪れることを願っている。

*　*　*

本書の編集にあたっては筑摩書房の羽田雅美さん、アップルシード・エージェンシーの遠山怜さん、藤本佳奈さんにお世話になりました。イラストレーターのたむらかずみさんには、素敵な挿絵を描いていただきました。また、大学院生の五十嵐友子さん、林世羅（イムセラ）さんとの議論が各所で生かされました。皆さんに御礼を申し上げ、本書の結びと致します。

二〇二二年三月

石川　幹人

## 【参考文献】


●はじめに
ニーナ・シック著、片山美佳子訳『ディープフェイク――ニセ情報の拡散者たち』日経ナショナルジオグラフィック社、二〇二一年
石川幹人『だまされ上手が生き残る――入門！ 進化心理学』光文社新書、二〇一〇年
●第1章
ロバート・トリヴァース著、中嶋康裕・原田泰志・福井康雄訳『生物の社会進化』産業図書、一九九一年
長谷川寿一・長谷川眞理子『進化と人間行動』東京大学出版会、二〇〇〇年
石川幹人『超心理学――封印された超常現象の科学』紀伊國屋書店、二〇一二年
村井潤一郎『嘘の心理学』ナカニシヤ出版、二〇一三年
アルダート・ヴレイ、太幡直也・佐藤拓・菊地史倫訳『嘘と欺瞞の心理学』福村出版、二〇一六年
ケヴィン・ダットン、小林由香利訳『サイコパス　秘められた能力』ＮＨＫ出版、二〇一三年
●第2章
ロビン・ダンバー著、藤井留美訳『友達の数は何人？――ダンバー数とつながりの進化心理学』インターシフト、二〇一一年

マイケル・トマセロ著、松井智子・岩田彩志訳『コミュニケーションの起源を探る』勁草書房、二〇一三年
ジャコモ・リゾラッティ&コラド・シニガリヤ著、柴田裕之訳『ミラーニューロン』紀伊國屋書店、二〇〇九年
下條信輔『サブリミナル・マインド――潜在的人間観のゆくえ』中公新書、一九九六年
菊池聡『超常現象をなぜ信じるのか――思い込みを生む「体験」のあやうさ』講談社ブルーバックス、一九九八年
ポール・ブルーム著、高橋洋訳『反共感論――社会はいかに判断を誤るか』白揚社、二〇一八年

●第3章

フランス・ドゥ・ヴァール著、西田利貞訳『政治をするサル――チンパンジーの権力と性』平凡社、一九九四年
マイケル・コーバリス著、大久保街亜訳『言葉は身振りから進化した――進化心理学が探る言語の起源』勁草書房、二〇〇八年
デイヴィッド・リヴィングストン・スミス著、三宅真砂子訳『うそつきの進化論――無意識にだまそうとする心』NHK出版、二〇〇六年
松沢哲郎『想像するちから――チンパンジーが教えてくれた人間の心』岩波書店、二〇一一年
菊池聡・宮元博章・谷口高士『不思議現象　なぜ信じるのか――こころの科学入門』北大路書房、一九九五年

松井智子『子どものうそ、大人の皮肉——ことばのオモテとウラがわかるには』岩波書店、二〇一三年


●第4章

トーマス・ギロビッチ著、守一雄・守秀子訳『人間この信じやすきもの——迷信・誤信はどうして生まれるか』新曜社、一九九三年
ダン・アリエリー著、櫻井祐子訳『ずる——嘘とごまかしの行動経済学』早川書房、二〇一四年
日経サイエンス編集部編『孤独と共感　脳科学で知る心の世界』日経サイエンス、二〇一八年
日経サイエンス編集部編『認知科学で探る　心の成長と発達』日経サイエンス、二〇一九年
内藤淳『進化倫理学入門——「利己的」なのが結局、正しい』光文社新書、二〇〇九年


●第5章

戸田山和久『科学的実在論を擁護する』名古屋大学出版会、二〇一五年
石川幹人『なぜ疑似科学が社会を動かすのか——ヒトはあやしげな理論に騙されたがる』PHP新書、二〇一六年
スティーブン・ピンカー著、椋田直子訳『心の仕組み』（上・下）ちくま学芸文庫、二〇一三年
石川幹人『人はなぜだまされるのか——進化心理学が解き明かす「心」の不思議』講談社ブルーバックス、二〇一一年


●第6章

ダニエル・カーネマン著、友野典男・山内あゆ子著『ダニエル・カーネマン　心理と経済を語

る』楽工社、二〇一一年
友野典男『行動経済学——経済は「感情」で動いている』光文社新書、二〇〇六年
小島正美『メディア・バイアスの正体を明かす』エネルギーフォーラム新書、二〇一九年
石川幹人『なぜ、穴を見つけるとのぞきたくなるの？——子どもの質問に学者が本気でこたえてみた。』朝日新聞出版、二〇二一年
●第7章
ASIOS『陰謀論はどこまで真実か（増補版）』文芸社、二〇二一年
ジェシー・ベリング著、鈴木光太郎訳『ヒトはなぜ神を信じるのか——信仰する本能』化学同人、二〇一二年
平野啓一郎『私とは何か——「個人」から「分人」へ』講談社現代新書、二〇一二年
中根千枝『タテ社会の人間関係——単一社会の理論』講談社現代新書、一九六七年
山岸俊男『安心社会から信頼社会へ——日本型システムの行方』中公新書、一九九九年

協力　アップルシード・エージェンシー
イラスト　たむらかずみ

ちくま新書
1652

# だからフェイクにだまされる
## ――進化心理学から読み解く

二〇二二年五月一〇日　第一刷発行

著者　石川幹人（いしかわ・まさと）

発行者　喜入冬子

発行所　株式会社 筑摩書房
東京都台東区蔵前二-五-三　郵便番号一一一-八七五五
電話番号〇三-五六八七-二六〇一（代表）

装幀者　間村俊一

印刷・製本　株式会社 精興社


ISBN978-4-480-07479-9 C0211

## ちくま新書

1490
保育園に通えない子どもたち
——「無園児」という闇
可知悠子
保育園にも幼稚園にも通えない「無園児」の家庭に潜む闇を、丹念な研究と取材で明らかにした問題作。NPO法人フローレンス代表、駒崎弘樹氏との対談も収録。

1547
ひとはなぜ「認められたい」のか
——承認不安を生きる知恵
山竹伸二
ひとはなぜ「認められないかもしれない」という不安を募らせるのか。承認欲求を認め、そこから自由に生きる心のあり方と、社会における相互ケアの可能性を考える。

1553
アメリカを動かす宗教ナショナリズム
松本佐保
アメリカの人口の3分の1を占める「福音派」とは何か？政治、経済、外交にまで影響を与える宗教ロビーの役割を解説。バイデン新大統領誕生の秘密にも迫る。

1612
格差という虚構
小坂井敏晶
学校は格差再生産装置であり、遺伝・環境論争は階級闘争だ。近代が平等を掲げる裏には何が隠されているのか。格差論の誤解を撃ち、真の問いを突きつける。

1625
政策起業家
——「普通のあなた」が社会のルールを変える方法
駒崎弘樹
「フローレンスの病児保育」「おうち保育園」「障害児保育園ヘレン」等を作ってきた著者の、涙と笑いの闘いの記録。政治家や官僚でなくてもルールを変えられる！

1632
ニュースの数字をどう読むか
——統計にだまされないための22章
トム・チヴァース
デイヴィッド・チヴァース
北澤京子訳
ニュースに出てくる統計の数字にはさまざまな裏がある、前提がある。簡単に信じてはいけません。数字にだまされないノウハウを具体例をあげてわかりやすく伝授。

1649
ルポ 女性用風俗
菅野久美子
「買う女」たち、「買われる男」たち、そして店の経営者への取材を通して、多種多様な欲望や風俗に通う動機、社会的背景を探る。巻末に宮台真司との対談を附す。